BEZSENNOŚĆ W CZASIE KARNAWAŁU

archipelagi

Ostatnio w serii ukazały się:

Aleksandra Zielińska, *Bura i szał*
Brygida Helbig, *Inna od siebie*
Janusz Rudnicki, *Życiorysta dwa*
Janusz Rudnicki, *Śmierć czeskiego psa* – wydanie II
Jacek Dehnel, *Lala* – wydanie VI rozszerzone
Helena Karpińska, *Życie Lali przez nią samą opowiedziane*
Liliana Hermetz, *Costello. Przebudzenie*
Jarosław Kamiński, *Tylko Lola*
Wioletta Grzegorzewska, *Stancje*
Aleksandra Zielińska, *Kijanki i kretowiska*
Maciej Płaza, *Robinson w Bolechowie*
Agnieszka Wolny-Hamkało, *Moja córka komunistka*
Jarosław Maślanek, *Góra miłości*
Zyta Rudzka, *Krótka wymiana ognia*
Jerzy Pietrkiewicz, *Zdobycz i wierność* – przekład: Jacek Dehnel
Marta Kozłowska, *Stopa Od Nogi*
Joanna Bator, *Ciemno, prawie noc* – wydanie V
Jarosław Kamiński, *Rozwiązła* – wydanie II
Piotr Nesterowicz, *Jeremiasz*
Jacek Dehnel, *Saturn* – wydanie II
Janusz Głowacki, *Good night, Dżerzi* – wydanie II
Janusz Głowacki, *Z głowy* – wydanie II

W przygotowaniu:

Barbara Klicka, *Zdrój*
Joanna Bator, *Ciemno, prawie noc* – wydanie VI

JANUSZ
GŁOWACKI

BEZSENNOŚĆ
W CZASIE
KARNAWAŁU

Opracowanie tekstu
Olena Leonenko-Głowacka

Wydanie I
Warszawa MMXVIII

Na bogactwo literatury narodowej składają się doskonałość moralna autora, wysokie walory artystyczne tekstu i doniosłe prawdy czasu. Te prawdy, które będą miały wpływ na życie rodziny, wychowanie dzieci i obronność kraju. Biorąc to pod uwagę, przystępuję do pisania.

Karnawał 2017

Siedzę przy oknie i razem z całą cywilizowaną Europą popijam espresso. Mróz, mgła, śnieg, miasto blade jeszcze po nocy, a Wisła póki co pod lodem. Na parapecie wrony i mewy się tłuką o coś, co wysypałem dla wróbli, czarno-biała pląsawica, wrzaski i kłapanie dziobów. Wróble są w ogóle bez szans. Szare kulki, przycupnięte na gałęziach, boją się poruszyć. Żal mi ich, ale niech zdychają. O co chodzi? To nie są czasy dla małych, siebie też mi nie żal; a co, one mnie żałują? Jak im się nie podobało, to trzeba było wypieprzać z Polski.

Z Krakowskiego Przedmieścia słychać krzyki, może radosne, a może nie. Może ślub albo kondukt żałobny czy chrzciny, albo biczownicy spod krzyża się cieszą z odzyskanej niepodległości, a może to nasi dopadli Syryjczyka? Karnawał w pełni, to w każdym razie pewne.

Czyli popijam sobie razem z całą cywilizowaną Europą espresso i się zastanawiam, czy jak człowiek długo pożył i się napatrzył, to się ma jeszcze prawo uważać za przyzwoitego czy już niekoniecznie. Przecież nawet świnia by się wyrzygała.

Kiedy wybuchła dżuma w średniowieczu to też, owszem, działy się rzeczy przykre, bo jedna trzecia ludzi na ziemi wymarła, ale przynajmniej ogromnie wzrosła religijność, bo wiadomo było, że to kara boska. Kościoły były zatłoczone, że się nie dawało rady dopchać, a domy gry, burdele i szkoły tańca pozamykane. A dziś mnożą się ataki na Kościół katolicki i niedługo może dojść do tego, że biskupowi nie będzie wolno walnąć kleryka. W czasie dżumy w takiej Hiszpanii nawet muzułmanie zaczęli masowo przechodzić na chrześcijaństwo, bo to miało ratować. Trędowatych, włóczęgów i prostytutki już wcześniej przepędzono. Wesoło mrugały stosy, na których prewencyjnie palono Żydów, co było na dżumę lekarstwem najpewniejszym. Wprawdzie święty Augustyn uważał, że Żydów należy tolerować jako część zamysłu Bożego, ale niby jak, kiedy nie było wątpliwości, że to oni zatruwali studnie i dla zmylenia sami z nich pili.

Natomiast uczciwi mężczyźni i kobiety, szanowani politycy i biznesmeni tysiącami biegali po Florencji, Marsylii, Paryżu, Londynie czy Rzymie i w akcie pokuty wyznawali z krzykiem: jestem kurwą, jestem kłamcą, mordercą, złodziejem, cudzołożnikiem, gwałcicielem i oszustem. I dopiero jak się okazało, że to nie za bardzo pomaga, to tych paru, co przeżyło, mówiło potem, że oczywiście żartowali. A muzułmanie, widząc, że wszyscy mrą równo, też machnęli ręką na Chrystusa. I dlatego teraz nie powinno się ich do Polski wpuszczać.

A w ogóle za mało się podkreśla, że dżuma właśnie nasz kraj ominęła. Szła na nas ze wszystkich stron i zatrzymała się na granicy. Może jej nie chciano wpuścić? A może to nasza wyższość moralna? A może opieka Najświętszej Maryi Panny? A może my, Polacy, mamy jak wampiry odporność i tylko zarażamy? W każdym razie zrobiła pętlę i wzięła się na dobre za Niemców. Szczęść Boże i na zdrowie.

Owszem, zdarzały się w naszej historii gorsze chwile, ale nie warto o nich wspominać, bo co to da. Zwłaszcza że nie ma wątpliwości, że jesteśmy pod specjalną opieką i nie boimy się ani dzikiego Putina, ani słabosilnej Europy.

Parapet już wymieciony, duże odleciały, a małe jeszcze bardziej pokurczone. Na pogrzebie Władysława Broniewskiego – poety, co do którego są ostatnio wątpliwości, wydymać go pośmiertnie z historii literatury, nazw ulic oraz ogólnie, czy jednak nie wydymać, bo z jednej strony poeta świetny, były legionista Piłsudskiego, więzień Stalina, ale z drugiej późniejszy komunista i autor poematu o Stalinie właśnie. Ale ja nie o tym. No więc nad grobem przemawiał Stanisław Ryszard Dobrowolski, też poeta, ale kiepski, za to komunista niezłomny, i zaczął tak: „Kiedy umiera poeta, milkną ptaki!" – i wtedy nad cmentarzem przeleciało, kracząc, ogromne stado wron.

Ja

Teraz tak: ja się w tej opowieści będę nazywał Janusz Głowacki. Na to się przed chwilą zdecydowałem i to jest odważna decyzja. Bo mogłem sobie napisać, że ten, co to pisze, się nazywa inaczej, Max F. na przykład albo Tyberiusz Włosiak, czy się tchórzliwie schować jak Stendhal za jakiegoś nieszczęsnego Juliana Sorela. W takim wypadku moje bluźnierstwa, głupoty, świństwa oraz zboczenia idą na tamtego albo są w najgorszym razie porozrzucane na kilku. A tak to na mój rachunek. Czyli to jest właśnie bardzo odważna i uczciwa decyzja, taką się podejmuje raz w życiu i tylko jeżeli się jest absolutnie niezłomnym i najgłębiej wierzącym. A taki właśnie jestem i nie mam co do tego żadnych wątpliwości. Ja wiem, ile ryzykuję, ale się nie dam zastraszyć i się nie ugnę. I jak to teraz piszę, to jestem z siebie dumny. Radziłem się w tej sprawie najbliższych – żony Oleny, córki, kochanki, księdza Lutra, za którego pośrednictwem ostatnio najczęściej kontaktuję się z Bogiem. I wszyscy poparli moją decyzję. I też byli ze mnie dumni. Zresztą nie jestem tak zupełnie pewien, bo może jeszcze tak zrobię, że to nie ja piszę… Się napisze, się zobaczy. Skąd mam teraz wiedzieć, jak jeszcze nie napisałem? I się nie będę tłumaczył. Nikt nie ma prawa tego ode mnie wymagać, nie jestem czyimś lokajem!

Czyli ja albo i nie ja siedzimy teraz przy oknie na ulicy Bednarskiej i razem z całą cywilizowaną Europą popijamy espresso i piszemy. Podobno poranek u państwa Pendereckich wygląda tak, że genialny kompozytor pije kawę, a jego piękna żona przegląda nekrologi, żeby sprawdzić, czy może umarł ktoś, dla kogo warto mszę napisać. Ja oczywiście wiem, że to nieprawda, ale piszę. Chyba głównie z zawiści.

Ja się brzydzę zawiścią i uważam, że jest to uczucie najpodlejsze i ohydne, ale jestem zawistny. Jest powiedziane: kochaj bliźniego swego, jak siebie samego. Ale co to za bliźni, jak mu się na przykład lepiej powodzi albo gorzej? Trochę mi z tego powodu przykro, ale nic nie poradzę.

Wszyscy o zawiści mówią źle, ale ja myślę, że się ją mocno krzywdzi. Dobrze ukierunkowana, jak się do niej doda nienawiść i żądzę odwetu, może doprowadzić do rzeczy pięknych i czystych jak łza albo kryształ. Rozchodzi mi się też o szczęście narodu, bo nienawiść pomaga w życiu, a miłość niekoniecznie. Zresztą wrócę do tego.

Ja wiem, że nie wszyscy mnie lubią albo szanują. Niedawno podszedł do mnie na ulicy jakiś facet i powiedział: „Strasznie chujową książkę napisałeś. Szkoda, tak się dobrze zapowiadałeś". A jak wyszło *Z głowy* i na okładce stałem na jednej nodze, drugą się opierając o mur, to dostałem esemesa, czy się staram o rentę inwalidzką. Czyli się człowiek dowiaduje za darmo pożytecznych rzeczy.

Nie lubię, jak mnie ludzie na ulicy rozpoznają, ale jeszcze bardziej nie lubię, jak mnie nie rozpoznają. A może jak się długo żyje, to to już jest jakaś wartość. A to, że ja jestem pogodzony z losem, to niby bez znaczenia? Nie lubię tylko klimatyzacji, telewizji i ludzi.

Trochę za często piszę „ja". W oryginale *Łagodnej* Fiodora Dostojewskiego narrator bez przerwy mówi „ja". Jak ja cierpię, jak ja się potwornie męczę czy upokarzam… W polskim tłumaczeniu tego „ja" jest o wiele mniej. Pewnie tłumacz poprawił, żeby lepiej brzmiało.

Ale się zastanawiam, czy to „ja" to była Dostojewskiego niezręczność, czy może jednak zamierzone. No, żeby podkreślić dziki egoizm tego, który opowiada, odepchnąć Łagodną jeszcze dalej w cień.

W Nowym Jorku na drzwiach niedużego żydowskiego teatru na samym dole Manhattanu zobaczyłem plakat: „*Hamlet* Williama Szekspira – przetłumaczył i poprawił Izaak Lichtenbaum".

Karnawał w pełni

Krzyki na Krakowskim ucichły, teraz słychać śpiewy. Nie grzeszne, cielesne, obmierzłe, niskie, wypatroszone z wyższych uczuć, ale romantyczne, moralne i religijne, jak nasze polskie patriotyczne pieśni *Trąbo nasza, wrogom grzmij* na przykład. Aż się chce wyjść z domu. Księżyc zajrzał przez okno, jakby podglądał, a może tylko sprawdzał, czy u mnie wszystko w porządku.

Mam dosyć siedzenia. Krótka rozmowa z nogami i okazuje się, że też są gotowe na spacer. Sznuruję buty. Jezu, jaki byłem szczęśliwy, kiedy pierwszy raz w życiu udało mi się samemu zawiązać sznurowadła. Chyba cztery lata miałem. Pomyślałem, że teraz nareszcie należę do dorosłych na dobre. Wszedłem do pokoju rodziców – i nic. Tłumaczyli się potem, że wojna, okupacja i takie tam różne, że się akurat naradzali, czy się do AK zgłosić, czy nie albo coś w tym rodzaju. Długo im tego nie mogłem wybaczyć. Nie pamiętam, jak się ta narada skończyła, bo po pierwsze to było wielkie rozczarowanie, potem miałem więcej rozczarowań, ale ich nie pamiętam, a sznurowadła pamiętam.

Na wszelki wypadek ubiorę się tak, żeby nie zwracać uwagi, bo po co? Jak wspomniałem, nie wszyscy mnie lubią. Kiedy pisałem scenariusz dla Andrzeja Wajdy o Lechu Wałęsie, to mnie pod krzyżem chcieli „zajebać", że „jestem zdrajcą". Teraz przeszedłem głębszą przemianę. Już wiem, że się dałem Wajdzie oszukać, bo Wałęsy w Stoczni nie było i zdaje się, że to w ogóle postać fikcyjna. Ale ci, co biją, są pewnie zajęci i mogli przegapić moje nawrócenie.

Jest mróz, a ja mam piękny kożuch angielski, leciutki i ciepły. Kupiłem go w tajnym sklepie moskiewskim, a zaprowadziła mnie tam tłumaczka Natalia, która o sobie mówiła Królewna Śnieżka. Otóż oligarchowie sobie zamawiają i sprowadzają bez mierzenia całe skrzynie najlepszych ciuchów z Londynu, Paryża i paru innych miast. A potem, jak im nie pasuje, oddają w komis do takich cichych butików.

Nie. Włożę kurtkę, a kożuch niech sobie wisi w wielkiej, głębokiej szafie po rodzicach. Ciągle tam wiszą dwa garnitury ojca i cztery suknie matki. Jakoś strach wyrzucić, więc wiszą. No i pełno ubrań nie wiadomo jakich. Za duże albo za małe, często w jadowitych kolorach. Znajoma z Czytelnika mi wyjaśniła, że to nic dziwnego, pewnie w mieszkaniu się odbywa jakieś życie równolegle albo ktoś wpada ze swojego czasu do mojego i z szafy korzysta więcej osób. A sąsiad ochroniarz tylko się roześmiał, że raz tyję, raz chudnę, i tyle.

Zauważyliście państwo, że ochroniarz to się zrobił modny i szanowany zawód? Jak byłem ostatnio w kasynie Trumpa w Atlantic City, to było więcej ochroniarzy niż graczy. Spytałem krupiera, po co aż tylu. A żebyście się czuli bezpieczni.

No i zaraz potem wybuchła bójka i się okazało, że to ochroniarze między sobą się bili.

Pod górę Bednarską. I stromo, i mglisto, i ślisko. Ojciec, wdrapując się, przystawał po drodze najpierw raz, a potem dwa razy, bo go astma dusiła, chociaż ją leczył papierosami. Dwie paczki sportów dziennie, na więcej nie było go stać. O te papierosy i kawę się z mateczką wykłócał.

Ja jakoś lezę, chociaż zahaczam o kocie łby, co wyłażą spod lodu i się czepiają. Kochane kocie łby, znajome i zaprzyjaźnione od lat, ile razy się na nich wypieprzałem, ile razy łapały mnie za nogi. Ale zawsze w końcu puszczały. Były, jak do Stanów Zjednoczonych wyemigrowałem, i są teraz, i wierzę, że mnie nie opuszczą.

Pamiętam, że po prawej stronie ulicy żył jednoosobowo ślusarz i raz, na pewno w zimie, bo też było ślisko, zgubiłem klucze i się wdrapałem, żeby mi otworzył drzwi.

– A gdzie to jest? – zapytał.

– A na samym dole ulicy.

– A to nie za bardzo mi pasuje.

– A to zapłacę podwójnie.

– Panie, ja się przez trzydzieści lat w Polsce nie dorobiłem, to się na pana kluczach dorobię?

Nie dorobił się, już nie żyje, ale drzwi otworzył. Nie ma też już agencji towarzyskiej pod dwudziestym trzecim. Z pięć lat temu ją zlikwidowali. Nie ma z kim teraz po drodze w górę porozmawiać o rzeczach istotnych. Bo dziewczyny często czekały na ulicy. Miały, jak my wszyscy Polacy, dni lepsze i gorsze, ale nigdy nie narzekały. I z dumą mówiły, że pod żadnym pozorem nie biorą mniej niż pięćset złotych. A jak się trafił konkurs chopinowski, to od Japończyków brały podwójnie. Co dziś robią? Gdzie się podziały? Siedzą w internecie? Szyją sztandary? Wyszły za mąż? Wyjechały do Anglii?

Teraz ślizgam się niby sam, ale niezupełnie, bo wymija mnie trzech mężczyzn. A za nimi w dole słyszę ciężkie oddechy tłumu. Pierwszy ma twarz uduchowioną, a na plecach puchowej kurtki modny ostatnio napis: „Wolna Polska bez Michnika i «Wyborczej»". Idzie szybko, nie sapie, tylko mówi, chociaż po sześćdziesiątce chyba jest. A za nim ledwo nadąża dwóch dużo młodszych i zasłuchanych. Jeden ma pod pachą zwiniętą naszą biało-czerwoną. Też przyśpieszam – ze wstydu, że się wlokę. Jeszcze pomyślą, że się nie nadaję. Słyszę, że dyskutują na ważne polskie tematy, którymi żyje Europa i cały świat, czyli ten najstarszy mówi:

– My, Polacy, mamy swoje wartości oparte na prawie rzymskim i chrześcijańskiej moralności.

A ten z flagą potakuje:

– Tak jest, jebać brudasów, jebać dzikusów.

– Gardzę wszystkimi, ale chcę, żeby mnie kochali i podziwiali, bo cały świat obserwuje z zapartym tchem, jak się z kolan podnosimy.

– Tak jest, jebać brudasów, jebać dzikusów.

Trzeci nic nie mówi, tylko z namysłem patrzy, jak z maleńkiej wystawy damskiego zakładu fryzjerskiego wyglądają równo obcięte śliczne kobiece główki z plastiku, ale jak żywe. I dopiero po chwili dodaje z goryczą:

– Bo nas, Polaków, nikt nie kocha, gardzą nami przez to, że nie mamy kasy. Nikt nie kocha, chociaż jesteśmy dzieci Chopina i Kopernika.

Ja ani bohater, ani młody. Słaby człowiek. Uśmiecham się do nich kusząco i kiwam głową, że tak. No bo wiadomo, jak nie można pokonać, to się trzeba przyłączyć. Ale mijają mnie bez słowa.

Co jest we mnie? Uśmiech wredny? Co jest złego we mnie, dlaczego nie przygarną?

A wiatr pogwizduje i dmucha od Wisły do góry i z powrotem w dół. I wiruje, i wpycha do gardła i ciemność, i mgłę, i rozpacz, i poświąteczną radość, co kto woli, to mu wpycha, a ja zwalniam. Ale tak czy tak już jestem prawie na górze, już widzę, jak w suterenie Dziekanki pięknie ćwiczy *Święto wiosny* Strawińskiego młody pianista, kiedy mnie dwie pielęgniarki przeganiają. Jedną znam, bo mieszka obok, ma psa czarnego i doświadczenie, bo tłumaczy młodszej i niewyspanej, jak dziecku, że tylko głupie biorą dyżur w święta, bo normalni ludzie sobie żyją i umierają głównie osobno. Ale jak się spotykają raz na rok przy choince, to noże idą w ruch.

Ale już jesteśmy na górze, schodzimy z drogi wiatrowi, się otrzepujemy i już wciąga nas ogromny tłum. Wszystko migocze i błyska. Biało jest, bo śnieg owszem sypie, ale łagodnie i z uszanowaniem. A wiatr przysiadł na dachu Dziekanki i też odpoczywa, i się przygląda. Po śniegu depczemy i zamieniamy go w błoto, ale on bez żalu się zgadza i dalej sypie, bo wie, że karnawał i takie są jego, śniegu, ogólne zasady i przeznaczenie.

Po drugiej stronie Krakowskiego Przedmieścia, prawie naprzeciwko Dziekanki, świecił krótko, ale pięknie, bo na niebiesko, go-go bar. I może by świecił dalej, gdyby te młode Polki, zmuszane przez ateistów do niewolniczych i upokarzających wygibasów, tańczyły przy rurze choćby kujawiaka. Ale też by to raczej nie pomogło, bo młodzi i niewinni księża, idąc parami z kościoła Świętej Anny, odwracali oczy. No i za blisko na pewno miejsca upamiętniającego rozstrzelanych w czasie okupacji. Mój dziadek, Bronisław Rudzki, z nikim się nie chciał bić, ale i tak go zgarnęli z ulicy jako zakładnika i w Palmirach rozstrzelali.

O dziadku już pisałem w *Z głowy*, ale jak się człowiek nie ma czym pochwalić, to wyciąga dziadka. Miał on przedstawicielstwo firmy płytowej Columbia na Polskę i kiedyś namówił marszałka Piłsudskiego, żeby nagrał u niego na płytę swoje dwa przemówienia: „Do dzieci" i „O śmiechu". Miał też schowaną przed babcią kolekcję zdjęć pornograficznych, którą mój ojciec z narażeniem życia ocalił, wynosząc z płonącej Warszawy. A ja ją odziedziczyłem po ojcu razem z samochodem marki Trabant 600. Zdjęcia są w dawnym stylu, mocno spłowiały, pożółkły, były w paru miejscach popękane, ale i tak mnie i paru koleżankom sprawiły wiele radości. I ciągle widać na nich ułana na łące, w czaku i przy szabli, ale bez spodni, a przy nim grottgerowską pannę w wianku, która się do ułana zalotnie uśmiecha, odsłaniając to, co kobieta ma najświętszego, a z tyłu biały koń ich podgląda.

U wróżki na Manhattanie

W Nowym Jorku jedna sławna wróżka z Hiszpanii robiła ze mną za dwieście dolarów – nie pamiętam, jak to się nazywa – regres chyba. No taki odjazd w przeszłość, we wcielenia poprzednie. Znaczy hipnoza musi mieć w tym spory udział. Nie wierzyłem w to nic a nic, ale twarz miała wychudłą, oczy jak noc i trudno się było do niej dopchać.

Usiadłem w jej pokoiku przy 14 Ulicy, z widokiem na Union Square. Zasłoniła okna, zapaliła świece, potem kadzidła. Wbiła we mnie te straszne oczy, a ja zobaczyłem starca, szedł ulicą w Amsterdamie. Że to Amsterdam, wiedziałem na pewno, chociaż nigdy tam nie byłem, o ile pamiętam. I że ten starzec paskudny, utykający, podobny do ptaka z przetrąconym skrzydłem, to ja. Szedłem środkiem jezdni, podpierając się laską, w płaszczu długim i ciemnym. Szedłem, pochylając głowę, żeby mi wiatr resztek siwych włosów nie rozwiewał. Słyszałem stukot tej laski o nierówno wybrukowaną ulicę. Dookoła pusto, domy wymarłe, wiatr stukał otwartymi oknami i one też, na zmianę z laską, stukały. I zanim zrozumiałem, dlaczego jestem tym paskudnym starcem, czas skoczył, ale jakby do tyłu. I się znalazłem znowu na ulicy, tylko w Paryżu. Że Paryż, to było jasne. A ten nędzarz czterdziestoletni mniej więcej, z bladą twarzą, w brudnej koszuli, komicznych dziurawych portkach, to też ja. Dookoła kotłował się tłum oberwańców. Czułem zapach ich, mojego potu i nienawiści. Wrzeszczałem, żeby rżnąć każdego, co nie ma dziurawych spodni. Ja miałem, czyli byłem bezpieczny i nawet w oknie widziałem Dantona, który też krzyczał: „Litość to zbrodnia!". Na osiemnasty wiek mi to wyglądało. Nie będę dalej pisał, co robiłem, ale bawiłem się dobrze. Zresztą o tym potem.

Jeżeli to był wiek osiemnasty, to ja bym wolał towarzystwo encyklopedystów, ale było jak było. Mogło być gorzej.

Na przykład kobieta, która mnie do hiszpańskiej wróżki zaprowadziła, a sama się ogłaszała na Greenpoincie jako wróżka Sonia, siebie zobaczyła w psychiatryku, przywiązaną do łóżka rzemieniami. Tylko że Sonia już umarła i raczej niczego nie może dodać ani zaświadczyć. Także tego, że Hiszpanka na koniec powiedziała, że w jednym z wcieleń była moją matką, ale w to nawet wróżka Sonia nie uwierzyła. I się skrzywiła, że może Hiszpanka chce się ze mną przespać czy coś...

Rodzina jest najważniejsza

Na wszelki wypadek zacząłem pisać wersję *Króla Edypa*. No, że wie o wszystkim, jest z matką szczęśliwy, mają kochające dzieci. Bo rodzina jest najważniejsza. I nagle straszna wiadomość, że to jednak nie jest jego matka. Tego już było za dużo dla Edypa. Przeklął bogów, oślepił się, a ta niematka poderżnęła sobie z rozpaczy gardło. Niestety, nie skończyłem. Wielu rzeczy w życiu nie kończę.

Tak między nami, to w te bzdury nie wierzyłem nic a nic, ale raz na deptaku nad samą rzeką Hudson... Tam się schodziło z Riverside Park, żeby kupić trochę cracka, kokainy, heroiny czy innego szczęścia od małomównych Portorykańczyków, i spory tłumek krążył tam co noc, latem zwłaszcza, żeby odetchnąć od upału. Daleko po drugiej stronie rzeki świeciły światełka New Jersey, a trochę na prawo błyskał i huczał George Washington Bridge. Było chłodno i przyjemnie. Biali i ciemnoskórzy albo przytulali kochanki, albo wycinali nożami na drewnianej balustradzie nad samą wodą ich imiona, przyrzekając na wszystkie świętości, że to miłość nie na jedną noc, tylko na całe życie. Nad głowami wisiał dym marihuany tak gęsty, że nawet nie trzeba było palić, żeby się zacząć uśmiechać.

I się wcale nie zdziwiłem, jak ktoś za mną wyszeptał:

– A przyuważyłeś tego gościa, co szedł za tobą w Amsterdamie drugą stroną ulicy? Nieraz rzeczy niezwykłe się okazują zupełnie zwykłe.

Kiedy się odwróciłem, tylko gęsty tłum samych obcych twarzy zobaczyłem.

Bezsenność

Od tej pory mam dwa sny, co mi się powtarzają. One mogą mieć związek z tą wróżką Hiszpanką z Manhattanu, ale niekoniecznie. Ja w ogóle nie zasypiam bez proszków. Dlatego teraz, chociaż prawie północ, lezę przed siebie bez żadnych większych problemów, przesuwam nogi, ani nie ziewam jak niektórzy, ani się nie buntuję, chociaż dmucha od Ogrodu Saskiego. Już mijamy w coraz gęstszym tłumie kościół Wizytek, gdzie moja córeczka Zuzia została ochrzczona przez księdza Twardowskiego z powodu opiekunki, wynajętej pani Zosi, co powiedziała, że się niechrzczonym dzieckiem nie będzie zajmować za żadne pieniądze, bo to diabelstwo, chociaż włosy jasne. No to trzymałem Zuzię na rękach, a ksiądz poeta się jej zapytał:

– Czy wyrzekasz się szatana?

Zuzia miała niecały rok, ale była sprytna i się nie odzywała, a ja nie wiedziałem, że trzeba za nią odpowiadać – ksiądz czekał, czekał, w końcu machnął ręką i za mnie odpowiedział:

– Wyrzekam się.

Czyli Zuzia się osobiście go nie wyrzekła i jakby co może na niego liczyć.

Więc tak sobie idę, lezę, przesuwam nogi, przypominam, jak z kościoła Wizytek Tadeusz Konwicki szedł za trumną Słonimskiego…

Dwa sny – albo i jeden

To może i jeden sen, ale w dwóch częściach. Pierwsza jest krótka i nie bardzo przyjemna. Druga jeszcze gorsza. Czyli biorę pierwszy proszek na sen, powiedzmy o pierwszej w nocy. Proszek gryzę i rozpuszczam w ustach, żeby mnie szybciej z męki przedsennej wyciągnął. I po obowiązkowych piętnastu minutach czekania coraz częściej się tak zaczyna:

jadę w dół.

W ciemności, na linach, przywiązany do stołka, na którym w przyjaznych czasach średniowiecza z wyroku Kościoła na chwałę Bożą pławiono czarownice. I jakoś jestem pewien, że ta pobita, pokrwawiona, dziwacznie ubrana postać, to ja. Chociaż nie mam pewności, czy jestem kobietą, czy mężczyzną, kurwą, wiedźmą czy arystokratą, którą czy którego mają chyba pławić, czyli topić. Ale jak tu topić, kiedy nie ma rzeki, tylko loch jakby, a z dołu się patrzą oczy, z pięćdziesiąt ślepiów ludzkich albo i nie, rozgrzanych do czerwoności. Piekło jakby? No i wyciągnięte łapy szponiaste chcą poszarpać albo i popieścić?

I się budzę. Czarno, trzecia trzydzieści, piję ciepłą wodę, rozgryzam kolejny proszek, wstrętnie smakuje, zataczam się do kibla, potem poprawiam poduszki i się zaczyna:

teraz od jasności.

Takiej, co oślepia. Bo to już żaden loch, tylko słońce się odbija w wodzie, morzu raczej, bo statki, ale puste i ciche, i się rozkoszuję tym ciepłem. A z otwartych okien kamienic się wychylają, mamroczą i przepychają trupy przemieszane z żywymi, i coś wrzeszczą, albo i charkoczą, czy może błogosławią, ostrzegają albo wzywają pomocy. A między nich wpychają głowy Samuel Pepys i Daniel Defoe, Wolter, co są tu trochę nie na miejscu, bo się późniejszą londyńską dżumą zajmowali, paru malarzy, co malowali tańce szkieletów albo palenie Żydów, Boccaccio od *Dekameronu*, co jest akurat, Dante może... czemu nie? A też paru designerów, co wymyślili stroje na dżumę odpowiednie i maski z ptasimi dziobami, też wsadzają głowy między nich i coś szkicują.

A my, czyli tłum brudny, zarośnięty, pokraczny i zbrodniczy, ale odrodzony moralnie, machamy do tych w oknach, a oni nam odmachują, bo nadzieją jesteśmy. I z całą pewnością śmierdzimy, tańcząc taniec radości na dywanie ze zdechłych szczurów, spod których kocie łby, jak na Bednarskiej, wystają. Mijamy powolutku, bo się nie ma do czego śpieszyć, trupy uliczne, co zawalają drogi, dzieci, kobiet i mężczyzn, młodych i starych, krowy, psy ze zmiażdżonymi głowami, zdychające konie. A my dziękujemy Bogu za słońce, ciepło i zarazę, dzięki której nas z lochu wyciągnięto. Palą się i dymią kubły ze smołą, jak na kijowskim Majdanie. Pewnie żeby powietrze oczyszczać. Czarny dym się miesza z modlitwami i szlochem gwałconych kobiet. Przy czym, tak samo jak w Aleppo, łatwo teraz odróżnić te, co są jeszcze żywe, bo one wrzeszczą, płaczą i się wyrywają.

A jedna krowa – niby zdechła, bo kruki już wydziobały jej oczy – się rusza. I jakby szykuje kopyta do wstania. Nie, to przecież psy, co ją zżerają od środka, tak nią targają.

A my do pałacu, pod górę trochę. Czasem na czworakach, bo stromo, po schodach, co się zamieniają teraz już dokładnie w Bednarską.

I się budzę. I na szczęście już siódma, z tym że się ze dwa razy budziłem cały w czerwonych plamach, co są dżumy pierwszymi objawami i dowodem, że o tej zarazie ani pisać, ani śnić nie jest za bezpiecznie. Plamy zniknęły, ale strach został i za pierwszym razem dusił mnie dużo dłużej.

Muszę się przyznać, że o tych snach hiszpańskiej wróżce opowiadałem i ona tylko wzruszała ramionami, bo nie miała wątpliwości, że w którymś tam przedwczorajszym wcieleniu byłem *becchini* – czyli kopaczem grobów w czasie dżumy florenckiej z XIV wieku, której właśnie Boccaccio spory kawałek poświęcił i tylko dzięki niej *Dekameron* wymyślił. No owszem, to by trochę może i wyjaśniło.

A władza, jak to władza, bardzo długo udawała, że nic się nie dzieje, żeby broń Boże nie zniechęcać, zwłaszcza Hiszpanów albo Francuzów, do wspólnego handlu. A zwłaszcza nie dopuścić do odcięcia od sławnych targów materiałów tkackich w Szampanii. Czyli pozwalała statkom kursować w tę i we w tę.

Ale w końcu, kiedy już magowie, jasnowidze, astrolodzy i wielka dama włoska, i wybitny lekarz holenderski, i sędziwa dama szlachetnego rodu, którzy zażywali niezawodne pigułki zapobiegające zarazie i popularne królewskie antidotum, zostali wrzuceni do wspólnego grobu, a liczba umierających doszła do trzech tysięcy dziennie, kiedy już wszystkich, kogo się dało, spalono lub w najgorszym razie wygnano, a ludzie dalej umierali tysiącami i z domów na ulice raz po raz się wysypywały albo wylewały trupy, władza, arystokracja i księża dali dali nogę, na odchodne otaczając miasto wojskiem z rozkazem – strzelać do każdego, kto spróbuje uciec.

Ale zanim sami uciekli, wpadli na pomysł całkiem świeży, żeby wypuścić z lochów dożywotnich morderców, gwałcicieli, złodziei i największe kanalie, i wygląda niestety na to, że ja byłem jednym z nich. I żeby odwołać się do ich patriotyzmu oraz poczucia narodowej wspólnoty. No, żeby, krótko mówiąc, uratowali miasto. Po pierwsze sprzątając trupy i je zakopując, a po drugie chodząc po domach i sprawdzając, czy mieszkańcy są zdrowi i się choroba nie rozprzestrzenia. A jeżeli się rozprzestrzenia, to należy bezzwłocznie chorych odizolować, czyli zabrać ich do wyznaczonej na granicy miasta wymieralni, żeby tam sobie w towarzystwie innych zadżumionych spokojnie wracali do zdrowia.

I w ten sposób narodziła się nowa elita. Bo wygląda na to, że my, czyli wypuszczeni z lochów kopacze grobów, szybko doszliśmy do wniosku, że sprzątanie trupów jest czynnością monotonną, jałową, a poza tym można się zarazić – i skupiliśmy się na żywych. I to musiały być chwile piękne, kiedy zbliżaliśmy się do domów, z których właściciele nie zdążyli uciec.

Otóż ciekawa rzecz, że co bogatsi mieszkańcy Florencji woleli zostać w domach, w związku z czym, czekając na odwiedziny kopaczy, gromadzili dowody zdrowia pod postacią złota, srebra i klejnotów. A *becchini* nie byli żadnymi fanatykami i jeżeli ktoś zdiagnozowany w pierwszym momencie jako chory przedstawił odpowiednie dowody zdrowia, przyznawali się do błędu. Co więcej, okazywali często wielkoduszność i jeżeli nawet jakiś Florentczyk po przeliczeniu okazywał się niewystarczająco zdrowy, a miał ładną żonę albo córki i przekazał je do jednorazowego użytku, pozwalali mu zostać i cieszyć się rodzinnym szczęściem.

Ciekawe, że do kopaczy grobów często przyłączali się także ci, którzy zapłacili, i ci, którzy oddali im swoje żony i córki na używanie. Zresztą te kobiety też twierdziły, że kopacze mają ogromną charyzmę, nie mówiąc o tym, że do *becchini* przyłączała się masowo prosta ludność, a jeden z pozostałych w mieście księży – Francesco de Bello – odprawił nawet na ich cześć nabożeństwo, nie wątpiąc, że swoim działaniem wyraźnie przygasił gniew Boży.

Oczywiście epidemia to jest jednak epidemia. Części kopaczy grobów, niestety, mimo wszystko nie udało się uniknąć zarażenia. Ale kilku z tych, co przeżyli, zgromadziło ogromne majątki. Potem udali się do Londynu, gdzie nabyli arystokratyczne tytuły, a ich potomkowie zasiadają teraz w Izbie Lordów.

dokonać porównań, zakochać, wymienić poglądy czy podzielić wątpliwościami. A zawsze było z kim, bo w końcu lat sześćdziesiątych i na początku siedemdziesiątych, kiedy Blaszanka przeżywała swoje najlepsze chwile, zawsze po północy otaczał ją wianuszek mężczyzn w różnym wieku: kierowców autobusów, fryzjerów, absolwentów teologii z doktoratami albo i bez, tajniaków, profesorów uniwersytetu, księży po cywilnemu, partyjnych i bezpartyjnych, wierzących i niewierzących, o oczach ciemnych lub jasnych.

I właśnie tam, na stojaka, a nie przy kawiarnianych stolikach, można było podyskutować o modnych wtedy książkach, takich jak *Mdłości* Sartre'a, poszukać odpowiedzi na niełatwe pytanie, czy Alosza Karamazow był skażony złem wewnętrznym, czy jednak nie był? Czy Powstanie Warszawskie było tylko tragicznym, bohaterskim, ale absurdalnym zrywem, czy jedynie słuszną, nieuniknioną decyzją? Czy wreszcie walenie konia albo laska, i w ogóle przepadek nasienia, to czyn zbrodniczy równy zabójstwu nienarodzonych Polaków i winno być karane więzieniem. Były to spory często gwałtowne, ale zawsze przepojone miłością do kraju, Kościoła – matki naszej – narodu, literatury naszej polskiej, a czasem zagranicznej.

Bo trzeba wspomnieć, że była Blaszanka ważnym miejscem na nocnej mapie Warszawy i cieszyła się międzynarodową sławą. To właśnie tu, a nie w warszawskim PEN Clubie, spędził kilka wieczorów legendarny amerykański pisarz buntownik Allen Ginsberg, autor sławnego poematu *Skowyt* – opowieści o przerażającym mieście molochu, jakim wydawał mu się Nowy Jork. To tu, w Blaszance, złapał mendy w brodę, a potem bez słowa skargi, za radą lekarza, zgolił swój znak rozpoznawczy.

A raz starszy szpakowaty mężczyzna z laseczką zakończoną srebrną gałką wyznał, że w strasznych czasach niemieckiej okupacji, kiedy przechadzał się koło kawiarni Ziemiańskiej, w której przed wojną spotykali się skamandryci, gestapowiec kopnął go mocno w dupę, a to niesłychanie go podnieciło. I wtedy narósł w nim moralny konflikt: czy oddać się temu gestapowcowi – a był to wysoki blondyn o orzechowych oczach na pół twarzy – czy zachować się jak Polak patriota i dać mu w twarz.

I chcę z dumą powiedzieć, że nawet w tamtych czasach komunistycznego zniewolenia miażdżąca większość zebranych potrafiła, jak bohaterowie *Cyda* Pierre'a Corneille'a, odróżnić miłość czy ślepe pożądanie od moralnych obowiązków. Okazać triumf wszechmocnej woli i opowiedzieć się, jeśli nawet nie za spoliczkowaniem, to za ucieczką, twierdząc, że orzechowe oczy nic do tego nie mają. No cóż, ja mam opinię cynika, ale przyznam się, że słuchając tego, byłem i wzruszony, i dumny, jakby nagle nad Blaszanką zaszumiały orle skrzydła. A mój znajomy filozof, specjalista od Heideggera, ze łzami w oczach powiedział, że poczuł się, jakby koło niego odlewali się Chopin, Kopernik, Kołłątaj i Kościuszko.

Ale piszę o tym tylko dlatego, że dyskusja zburzyć czy nie zburzyć Pałacu Kultury i Nauki imienia

Józefa Stalina ciągnie się od lat, a Blaszankę rozebrano bez najmniejszej publicznej debaty. Nie dano szansy narodowi, żeby się wypowiedział w referendum. Najpierw zamieniono ją w wietnamską knajpeczkę, a potem zniknęła na zawsze.

Jedna sprawa odrobinę kłopotliwa

Ja te notatki robiłem w różnych miejscach. W Warszawie też. Ale i w Nowym Jorku, Miami, Los Angeles, Moskwie, Stambule, Kijowie, Charkowie. W knajpach, hotelach, na lotniskach, kiedy w nocy zmieniałem samolot, a także w burdelach w Tajpej, kiedy pracownice wkładały mi ustami cienką jak mgła prezerwatywę. Nawet wtedy ani na chwilę nie przerywałem pisania, bo po prostu ciągle uważałem to za swój moralny obowiązek.

A pisałem w zeszytach grubych albo cienkich. I w ogólnym zamęcie trzy–cztery zgubiłem. Dwa odesłano mi do domu. Jeden na Manhattan, drugi do Warszawy, bo zawsze na okładce czytelnie zapisywałem swój adres. Reszta przepadła.

Ale teraz uwaga – kiedy te odzyskane notatki czytam, to nabieram pewności, że ktoś, podrabiając mój charakter pisma, całe fragmenty podopisywał. Poza takimi ohydnymi wstawkami, które zresztą łatwo odróżnić z uwagi na ich żenująco niski poziom moralny, jestem przekonany, że należy te notatki czy zapiski albo wspomnienia traktować jako obiektywny materiał historyczny. Wcale nie mniej wierny prawdzie niż dajmy na to historia Rzymu spisana przez Tacyta. Jak wiadomo, pewne fragmenty dzieł historyka rzymskiego zaginęły i papież Leon X zarządził poszukiwania we wszystkich klasztorach chrześcijańskich, obiecując za każdy odzyskany kawałek odpust wszystkich grzechów zupełny, a grożąc ekskomuniką za każdą próbę fałszerstwa. Więc nie będę ukrywał, że w mojej sprawie troszkę liczę na dobrą wolę papieża Franciszka.

Tacyt urodził się bardzo szczęśliwie, bo w okolicach panowania znanego poety i śpiewaka Nerona. Ja, dziewiętnaście wieków później, „padłem na kolana i z głębi serca dziękowałem niebiosom za łaskę życia w takim momencie". To nie moje słowa, tak cieszył się i dziękował Bogu młodziutki Adolf Hitler, kiedy wybuchła pierwsza wojna światowa. Mnie wtedy jeszcze nie było. Na drugą wojnę też się odrobinę spóźniłem. Znowuż teraz jest dla mnie trochę późno. Ale właśnie w 2017 roku spróbuję jeszcze paść na kolana i jak bezdomny siwowłosy Murzyn, który od dwudziestu lat chodzi po Broadwayu z Biblią w ręku, wykrzyknąć: „Alleluja!".

Ten rok dopiero się zaczął, a już się ciągnie

To jakby przyśpieszy, to stoi w miejscu, to się cofa. Moja matka w szpitalu na Solcu, niedługo przed odejściem, powiedziała:

– Mój Boże, Janku, jak to szybko poszło.

A mówiła o osiemdziesięciu pięciu latach. Wtedy mi się to wydawało bardzo długo, teraz już nie. Powiedziała też: „Mój Boże", chociaż dawno zerwała z religią, bo nie mogła wybaczyć Bogu tego, co zrobił z Hiobem. Obie koszmarne wojny jakoś mu wybaczyła. Rozstrzelanego jako zakładnika swojego ojca i zamordowaną w jakimś obozie matkę też. To, że jej mąż kochał całym sercem swoje kochanki i przez to umarł, a astma tylko pomogła, że ja wyemigrowałem z córką do Ameryki i zostawiłem ją samą – też. A Hioba nie. Taka jest przewaga mitu nad całą resztą.

Kiedy wchodziłem do szpitala na Solcu, bo na jej ostatnie tygodnie przyjechałem z Nowego Jorku, ze szpitala wychodził ksiądz w stroju uroczystym. Byłem pewien, że to nie może być od mamy, ale jednak. Tyle że kiedy wszedłem, już straciła kontakt i mechanicznie powtarzała *Wierzę w Boga*. I nic mi już nie wytłumaczyła.

Niedawno, po tym, jak wyszła w Izraelu książka *Good night, Dżerzi*, szedłem z Oleną pod górę Drogą Krzyżową. Padał gęsty deszcz, co się nieczęsto latem w Jerozolimie zdarza. Wlekliśmy się, mijając wszystkojęzycznych arabskich kupców i ich stragany z Matką Bożą, T-shirtami i mrugającym zalotnie Jezusem. I w tym wszystkim Stacje Męki Pańskiej, wciśnięte w handlowy bałagan tak, że łatwo było je przegapić. Nagle Olena zbladła i zatrzymała się.

– W tej chwili w Kijowie umarł mój ojciec. – I tak było.

Potem matka jej opowiedziała, że dzień wcześniej ojciec stracił przytomność i lekarz uznał, że to koniec. Tymczasem następnego dnia rano przytomność odzyskał.

– Dziś przynoszą emeryturę. Myślisz, że bym cię bez forsy zostawił? – powiedział, podpisał się, uśmiechnął, wziął pieniądze i dopiero wtedy dobrowolnie umarł. Śmierć ukraińska czy europejska ogólnodostępna?

Ciągle padało, do tego zerwał się wiatr. Przytuliłem się mocno do Ściany Płaczu, bo ogromna, kamienna i bardzo chciałem coś poczuć. Co za różnica w jakiej religii. Jedna z setek karteczek z prośbami wciśniętymi w szpary między kamieniami wypadła. Wiem, że to nie było do mnie, ale przeczytałem. To była prośba po angielsku, żeby AC Milan zwyciężył w meczu z Juventusem Turyn.

Tam nic nie lepiej niż tu

Wybacz mateczko, że cię do tej książki raz po raz pakuję, ale mam żal, że ja o tobie pamiętam, a ty o mnie w ogóle... W tej chwili jestem od ojca starszy, kiedy umarł, i by mi się należało dać jakiś znak. Tak jak było umówione. Jedna kobieta powiedziała, że ty tu gdzieś ciągle krążysz, bo ja ci nie pozwalam odejść i się ciebie czepiam, i trzymam uparcie. Ciągle mi się ktoś z innego czasu wpycha, ale nie ty. Ostatnio pani, która na Bednarskiej sprząta, wybiegła z krzykiem z mieszkania, bo straszy.

Raz na cmentarzu przy twoim grobie nagle dużo jaśniej się zapaliła świeczka, tak że ogień buchnął w górę, i ktoś mnie zapewnił, że to żaden przypadek. Ale nie tak się umawialiśmy. Chyba że o mnie zapomniałaś albo tam nic nie ma, albo ci nie pozwalają. To by była smutna bezradność umarłych. Że tam rządzą surowo i nic nie lepiej niż tu na ziemi.

Josifowi Brodskiemu żona po śmierci związała ręce różańcem, chociaż był najdalszy od katolicyzmu. A Janek Himilsbach życzył sobie, żeby na jego grobie był napis: „Pocałujcie mnie w dupę". Tyle że jego żona Basia nie spełniła ostatniej woli zmarłego.

Z tymi notatkami jest jeszcze jeden kłopot

Jak wróciłem z pierwszego wyjazdu na Zachód, czyli ze Sztokholmu, od razu dostałem wezwanie do pałacu Mostowskich. Byłem już zatrudniony w warszawskiej „Kulturze" jako dziennikarz. A w Sztokholmie pracowałem na zmywaku, żeby sobie kupić używany samochód, ale mi nie starczyło. Kupiłem tylko maszynę do pisania, buty i szalik.

A kiedy wróciłem, major albo i pułkownik po cywilnemu zaproponował, żebym opowiedział, jak było. Odpowiedziałem, że piszę o tym opowiadanie, czyli autodonos, i nic do dodania nie mam. Popatrzył na mnie ze współczuciem, pokiwał głową i powiedział:

– Właściwie was, Głowacki, lubię, tylko po co piszecie? Inteligentny człowiek nie pisze, inteligentny człowiek nie zostawia po sobie żadnego śladu.

Od tej rozmowy w kilku zeszytach zapisywałem skrótowo, pourywanymi zdaniami albo słowami, szyfrem prawie. Trochę z lenistwa, a trochę jak wpadnie milicja albo inne służby, albo kobieta ta czy inna przeczyta. No, żeby się nie połapali. Bo wiadomo, tam są rzeczy nielegalne i wstydliwe. Jakieś nocne pomysły, pożądania, zdrady, co to je chciałem ze wszystkich sił nadaremnie popełnić albo i popełniłem. Bo wtedy też byłem niezłomny, ale mniej.

Zapisywałem, bo bałem się, że zapomnę. Tyle że tak je wszystkie ze strachu poszyfrowałem, że sam nie dawałem rady odczytać, w każdym razie nie do końca. Światełko pamięci przyświeca mi blado i się boję, że mogę, nie daj Boże, pomylić osoby. Z takiego niewyraźnego pisania biorą się rzeczy całkiem dramatyczne.

Natasza, która niewyraźnie pisała

Dawno temu w Nowym Jorku miałem przepiękny romans z rosyjską aktorką, bo tylko rosyjskie aktorki się do romansów nadają. Miała chmurne oczy i uduchowione wargi. Nocowałem często u niej.

I to była kobieta, która mnie rozumiała, ale ja jej nie rozumiałem, bo niewyraźnie pisała. I raz po nocy niebywale wzniosłej, wypełnionej seksem, Puszkinem, grzybkami halucynogennymi i proszkami nasennymi obudziłem się w jej mieszkaniu na Madison Avenue, późno. Jej już nie było. Tylko na stole zobaczyłem kartkę.

Ten stół ona kupiła w Meksyku na targu staroci i wysłała na Manhattan. Miała pieniądze, bo grała w serialach o rosyjskiej mafii. Dwadzieścia osiem lat, skośne oczy, wypukłe policzki, włosy czarne, kędzierzawe, malutkie piersi, które przytrzymywałem jedną dłonią, i nogi. Zresztą mniejsza z tym. Stół się trochę rozpadał, ale też był piękny. Była na nim namalowana Madonna, Jezus z płonącym sercem, lwy łagodne i uśmiechnięte, baranki agresywne i żarłoczne. W kolorach purpurowych, żółtych, zielonych, błękitnych i różowych, jakie tylko ludzie po wsiach pod Mexico City wymyślają. Może zauważyliście, że naumyślnie ten opis przeciągam, zanim wrócę do karteczki, bo ona nawet teraz mnie straszy. Krótko mówiąc, wziąłem ją do ręki i przeczytałem: „Zatrzaśnij twoje drzwi na zawsze". I podpis: „Natasza".

Drzwi zatrzaskiwały się automatycznie. Wyszedłem i nic nie rozumiałem. Dlaczego? Za co? Radziłem się najbliższych: żony pierwszej – Ewy, córki, kochanki, perwerta, który mieszkał po drugiej stronie West End Avenue i godzinami wieczorem wpatrywał się w okna mojego domu przez ogromną lornetę. Wiem o tym, bo też go przez lornetkę obserwowałem. On o mnie wypytywał doormana, uważając za zboczeńca. No więc pytałem go o radę, a on tylko wzruszał ramionami.

Włóczyłem się po mieście, wystawałem pod jej domem, ale chyba wyjechała albo się przeprowadziła. Przez kontakty doormana poznawałem czarny nocny Nowy Jork. Łaziłem do Apollo Theater na 125 West, tam, gdzie w każdą środę odbywały się debiuty i gdzie zaczynała Billie Holiday. Zresztą może napiszę o tym później.

Manhattan to nie Krakowskie Przedmieście czy Nowy Świat, więc spotkaliśmy się z Nataszą rok później, przy wejściu do subwayu na Columbia Circle. Złapałem ją za rękę. Wyrwała się, pobiegłem za nią. Wtedy się odwróciła.

– Śpieszę się, powiedz mi tylko jedną rzecz: dlaczego?

– Co dlaczego? – wykrztusiłem. – A list?

– Jaki list?

– Twój list.

Tłum nas wpychał do środka. Ktoś żebrał, ktoś grał na trąbce.

Tę kartkę nosiłem przy sobie, wciśniętą między odmowę pozwolenia na pracę z Immigration Office a kartę wstępu do biblioteki na uniwersytecie Columbia, gdzie najpierw nielegalnie, a potem legalnie uczyłem. Oczywiście znałem list na pamięć i wyrecytowałem, a potem podałem jej kartkę. Przeczytała, roześmiała się i wytłumaczyła, że tam jest napisane: „Zatrzaśnij drzwi, twoja na zawsze Natasza".

– Jak można być takim głupim chujem. To ten twój obrzydliwy, podejrzliwy charakter.

Odwróciła się i poszła. A ja jej nie goniłem, tylko się wpatrywałem w tę kartkę, potem ją podarłem i rzuciłem do metalowego kosza. Potem te kawałeczki zacząłem wyławiać, co w Nowym Jorku nie budzi żadnej ciekawości, bo tak robią wszyscy bezdomni. No, posklejałem. Rzeczywiście mogło być tak, że tylko litery poskakały. Ale przecież ona potrafiła pisać i pięknie, i czytelnie. „Ze wspomnieniami zasypiam tego, jak się ze mną kochasz. Jak zawsze najpierw się coś we mnie broni przed oddaniem się całkiem. Jak mi się wydaje, że nie wytrzymam już więcej tak intensywnie tego przeżywać, nagle jestem twoja. Tak od stóp do głowy, aż po duszę. Kochaj mnie, proszę. Chyba nam dobrze razem. W tobie jest potęga zapomnienia, przez pocałunki twoje Leta płynie – to Baudelaire – ale dziś w nocy przyjdź ty, a nie te jego kurwy i mary z wierszy".

Ona tego akurat nie pisała do mnie, tylko do Saszy, który urodził się w Moskwie, pisał sztuki teatralne, nie miał stałego zatrudnienia, więc musiał pracować jako nocny stróż – czyli dużo czytał. W czasach ZSRR młodzi wykształceni kierowani byli do przymusowej pracy jako sprzątaczki i dozorcy nocni zwłaszcza. A teraz cieszył się pozycją barmana w restauracji Russian Samovar na 52 Ulicy tuż przy 8 Alei.

Sasza pokazał mi ten list, kiedy Natasza go rzuciła. Też najpierw podarł, a potem posklejał. A ja przepisałem. I co z tego, że to do Saszy? Co za różnica, jeżeli była zdolna do takich duchowych uniesień? Może jeszcze bardziej ją za to pokochałem? Żona kazała mi się wyprowadzić. Zamieszkałem na 18 Ulicy tuż przy highwayu nad Hudsonem, na dwunastym piętrze. Natasza wyjechała z Nowego Jorku z jakimś serialem, a ja przychodziłem coraz częściej do Russian Samovar, żeby przynajmniej o niej porozmawiać. Z nowego mieszkania miałem tam bliżej.

Ale póki co karnawał w pełni

Ten sam wieczór, tylko późny. Krakowskie Przedmieście piękne oświetlone, renifery migocą czerwono i błękitnie, i jeszcze jakoś, zaprzężone do bajkowo świecącej karety. Zegar świetlny pokazuje sztuczne godziny. I tłum gęsty, udręczony albo zachwycony, radosny albo obojętny, ciągnie dzieci w górę miasta i z powrotem. A po prawej, przed zamkiem, wspaniała ogromna choinka, też błyszcząca, połyskująca i bombki na niej wiszą.

Prawie taka sama stała w Kijowie na Majdanie w czasie zawieruchy rewolucyjnej, co wymiotła Janukowycza. No, tamta była jeszcze wyższa i miała szersze zastosowanie. Jednej nocy powiesił się na niej jakiś mężczyzna. Nikt go nie znał, nie miał przy sobie dokumentów. Nikt nic nie zauważył, chociaż tamtej nocy nocowało na Majdanie z dziesięć tysięcy ludzi. Ale byli przemarznięci, albo pochowani w namiotach, albo prawie włazili w ognisko. Było minus dwadzieścia pięć stopni. Noc czarna jak atrament zalała wszystko. Chmury gęste zamiast gwiazd, migały światełka prywatnych samolotów, którymi oligarchowie i prominenci uciekali do rezydencji w Austrii. Straże marzły na barykadach, w maskach czarnych albo białych, kto co miał. Podrzucali opony do ognia, żeby się dymem od Berkutu odgrodzić, czyli smród, mgła gęsta, czarna, wszystko jak u Boscha. I w tej dekoracji Majdan się szykował na rano, żeby rżnąć jedni drugich.

Ten, co się powiesił, to nie wiadomo dlaczego. Ze strachu może albo braku nadziei, ze zmęczenia albo zimna? Albo chciał uciec? Ale wiedział, że jak się wychyli zza barykady, to daleko nie zajdzie, bo wszyscy obfotografowani. A może był w depresji, bo go żona rzuciła? Nie wiem. Tak czy inaczej wisiał i się huśtał, bo wiało lodowato. A może go powiesili? Bo wisiał całkiem wysoko. Ale po co by go wieszali po cichu?

Niektórzy się zastanawiali, czy go zdjąć, czy zostawić. Niby ciągle by był na Majdanie. Był, ale i nie był. W taki mróz by się nie zepsuł, a by wisiał i się huśtał na postrach dla jednych i drugich. Wywyższony. Jakaś karykatura Chrystusa może? Żeby ci z Berkutu wiedzieli, że poszło na ostro. Ale już i tak wiedzieli, bo zdjęli i wymienili na ogromne zdjęcie Julii Tymoszenko.

Coś magicznego jest w wisielcach, że póki wiszą, to są, chociaż ich nie ma. I są jakoś trochę straszni, ale są. I są już po wszystkim. I skąd ta pewność, że ząb wisielca albo stryczek przynoszą szczęście?

Sznurek na szczęście

Na Manhattanie, w parku, mieszkał Kostia. Nieduży, ale szeroki w barach, z blizną na policzku od oka do wargi, ostrzyżony na krótko. Sam się strzygł i golił, patrząc w lusterka mercedesów zaparkowanych obok. Był w ruskich komandosach, potem uciekł do Czeczenów i dalej, przez ocean, do parku. Nosił spodnie przewiązane sznurkiem i się przechwalał, że to ten sam, na którym się wielka poetka rosyjska Marina Cwietajewa powiesiła. Nawet się na pamięć jej wiersza nauczył:

Mogłabym – wzięłabym
Do brzucha jaskini:
Do jaskini smoka,
Do jaskini pantery.

W pantery – łapy
Mogłabym – wzięłabym.

Do natury łożyska – na natury łoże!
Mogłabym – swoją skórę pantery
Zdjęłabym...

Upierał się, że ten sznurek przynosi mu szczęście. Pomaga i na potencję, i na ból głowy. Nie pozwalał go nawet dotknąć. Odziedziczył go po ojcu, który był majorem NKWD i mu opowiedział, że jak Stalin kazał zesłać Cwietajewą do Republiki Tatarskiej, ona się nie dawała rady spakować, bo miała jedną walizkę zepsutą, która się nie domykała. Siedziała na tej walizce bezradnie i płakała. Ojciec chciał jej pomóc nawet – bo trzeba być człowiekiem – ale odmówiła. Dopiero pisarz Borys Pasternak, ten, co potem dostał Nobla za *Doktora Żywago*, pożyczył jej sznurek i pomógł zawiązać na walizce, żeby się domknęła. I to był ten szczęśliwy sznurek, na którym po przyjeździe się powiesiła. Bo to było dla niej widocznie za dużo: bieda, zimno, obcy, mąż z córką w więzieniu, a rodzony syn jej nienawidził.

Ojciec Kostii poetkę eskortował, a po śmierci ten sznurek sobie zabrał. Kostia się zaklinał, że to święta prawda i że ojciec już przedtem się czaił na sznur od firanek, na którym się w Petersburgu w hotelu Internacjonał wielki poeta Siergiej Jesienin powiesił. Albo mu towarzysze pomogli. Ale dyrektor hotelu się nie zgodził. Porządek musi być.

W czasie późniejszej masakry na Majdanie, kiedy rzędem układano zabitych w lobby hotelu Ukraina, z którego rewolucja wymiotła ekskluzywne kurwy i zabawę, ktoś odkrył, że jeden snajper strzela do ludzi z pokoju na najwyższym piętrze. Podobno dyrektor hotelu kazał najpierw sprawdzić, czy jest legalnie zameldowany i czy zapłacił rachunek za pokój.

U nas się o pamiątkowych stryczkach nawet teraz za mało mówi. No owszem, lud obiecuje powieszenie paru osobom, ale to taki Greenpeace. A przecież w powstaniu kościuszkowskim, jak się warszawiacy wzięli do wieszania, to szubienica goniła szubienicę. Paru niezdrajców, jak to bywa w bałaganie, też się na szubienicę załapało.

A wielkiego językoznawcę Lindego, który dbał o czystość języka, okropnie drażniła ta zapożyczona „szubienica". I walczył, żeby ją zastąpić rdzennie polskim „wieszadłem" albo „wieszadełkiem". Bo francuski wynalazek, czyli gilotyna, się w Polsce nie przyjęła. Mimo snobizmu i zachwytu Napoleonem. Za droga była?

Grób piękny Lindego jest na cmentarzu niedaleko moich rodziców, więc go czasem widuję. Ale póki co, zostawiam Majdan, Ukrainę, którą się Putin dzielnie zajmuje, wisielców i wieszadełka.

Jest Nowy Szczęśliwy 2017 Rok. Idę sobie rześko Krakowskim Przedmieściem.

„Śnieżek chrupie chrup, chrup, chrup, my idziemy tup, tup, tup"

To w przedszkolu w czasie wojny się tę piosenkę śpiewało, czyli przedszkole działało. A zawsze, jak śnieg, to o niej myślę. To znaczy ta ćwiartka mnie nuci, która jeszcze sobie żwawo tupie. Bezmyślnie, w prawo albo w lewo idę, ważne, że z tłumem, który ciągnie te dzieci, byle święta wydłużyć, pokosztować, a też może byle dalej od domu. Po co tupię? To dobre pytanie.

Spacerek po 42 Ulicy

Ja wiem sporo o takim łażeniu niejasnym, bo tak łaziłem na początku emigracji w Nowym Jorku po 42 Ulicy, głównie od 5 Alei do 9 i z powrotem. Zapchanej krążącymi, łażącymi tak jak ja białymi, czarnymi, żółtymi. A pod ścianami uszminkowane twarze i przypudrowane piersi. Po dwadzieścia pięć, pięćdziesiąt albo i sto dolarów. W mini, najczęściej złotych. Erotyczne to było, aż dech zapierało, ale nie dla mnie, człowieka bez kasy. Każdy głupi wie, że Balzac pieniądze dla literatury odkrył. Niby nic takiego, ale zapisał, żeby było. Bo bez pieniędzy był i Victor Hugo, i Marcel Proust, i Stendhal, i cały tłum wielkich pisarzy, ale jakby kasy nie docenili.

Do tego trzeba było strasznie pragnąć jej i nie mieć boleśnie, żeby z takim żarem, miłością i tęsknotą to zapisać.

Urodę, jak kto ma, to może na 42 Ulicy w dupę ją sobie wsadzić razem z wykształceniem klasycznym i znajomością języków obcych. Każdy – gruby, krótki, ze spłaszczonym pyskiem, jakby go drzwi ścisnęły, ale z kasą to, jak mówiła zaprzyjaźniona czeska prostytutka, chodliwy towar. Weźmy Immanuela Kanta. Miał sto pięćdziesiąt centymetrów wzrostu, ogromną głowę, jedno ramię niższe i wielkie powodzenie u kobiet, z którego na dodatek nie korzystał.

A ta namiętność kobiet dzika, ich wściekłe pożądanie nie brały się z powodu „gwiaździstego nieba i prawa moralnego", tylko z tego, że był właścicielem kolonialnego sklepu. I jako taki byłby na 42 Ulicy rozrywany. A sklepu musiał pilnować osobiście, bo był nieufny, pewnie słusznie, i dlatego się przez całe życie z Królewca nie ruszał. Nawet żeby się z Diderotem zobaczyć, który całkiem niedaleko, w drodze do carycy Katarzyny, zabawiał się z dziewkami, oberżystkami i w najlepsze łapał choroby weneryczne.

Podobno raz Immanuela uczniowie siłą zaciągnęli do burdelu i po wyjściu miał powiedzieć, że to przyjemność zbyt krótka, a ruchy niegodne filozofa. Kant znany był z tego, że szanował wszystkie płyny i nigdy nawet nie splunął, bo jeżeli organizm ślinę produkuje, to znaczy, że jest mu na coś potrzebna.

Czyli na 42 Ulicy, już nie mówię o dziewczynach, nawet szepty sprzedawców cracka mnie nie dotyczyły. Powrót do małego mieszkanka na samej górze Manhattanu, na 196 Ulicy za Harlemem, też nie kusił. Więc łaziłem i się patrzyłem, bo a nuż coś wypatrzę. Wybierałem sobie z tłumu trzy albo cztery osoby i się zastanawiałem, kim są i po co łażą. Tak jak ja łażą czy inaczej?

To wcale nie jest takie głupie zajęcie, jak by się wydawało, bo takie myśli ponure czy wesołe rozgrzewają i czas zlatuje szybciej. A ja pilnie czekałem na wiadomość: wezmą moją sztukę czy nie wezmą.

Czyli dajmy na to ta biała kobieta, wyraźnie niezamężna, może czterdziestopięcioletnia, piękna jeszcze, ale samotna po nowojorsku, nie do wytrzymania – to się nauczyłem rozpoznawać po miesiącu łażenia – co szła obok i patrzyła, ale nie na mnie. To też szybciutko nauczyłem się rozpoznawać: że nie wywołuję żadnego zainteresowania, bo ludzie na 42 Ulicy biedę i strach wyczuwają na odległość. Nawet kieszonkowcy, którzy tu pracowali, omijali mnie z daleka.

A ona ma buty wysokie pod kolana, ze skórki bardzo miękkiej, za sześćset dolarów co najmniej, i kożuszek brązowy krótki, jeszcze bardziej miękki, za trzy albo i cztery tysiące. Widziałem takie na wystawie. Włosy proste, jasne, zaczesane na czoło po obu stronach. Może żeby zmarszczki ukryć, a może tak sobie. Pracowała na oko jako szefowa w agencji modelek, a może literackiej czy CBS. Bo z Wall Street by się tak daleko na 42 Ulicę w porze lunchu nie zapędziła. Chyba że poluje. Bo patrzy na młodziutkiego Mulata, co też idzie, tyle że trochę z przodu, w kurtce wojskowej utytłanej, dżinsach i adidasach, ale nie skórzanych tylko podrabianych. Sunie ponuro, włosy gęste, czarne, dawno niemyte, opadają na kołnierz. Akurat schyla się i podnosi peta jeszcze żywego, czyli że biedak. Się zaciąga, przygarbia, żeby ciepła nie tracić, i wygląda przez chwilę jak młodziutki James Dean ze sławnego zdjęcia z Manhattanu, kiedy na początku wszystkiego pracował jako męska prostytutka. Tego zdjęcia, do którego się Marek Hłasko ze wszystkich sił przymierzał, a za nim cały tłum pisarzy i aktorów, ze mną na końcu.

Czyli, powiedzmy, ona idzie i cały czas odkrywa w nim coś nowego, podniecającego albo i pięknego. Tak. Poluje na pewno. I sobie musi marzyć, ile by mogła dla tego chłopaka zrobić, bez wysiłku w ogóle. Dać mu dom, pracę, seks, którego on może pragnąć tak samo jak ona. Seks na łóżku ogromnym w jej pięknym mieszkaniu na Riverside z widokiem na rzekę Hudson i ten wieczorny zachód słońca, kiedy sypialnia się robi różowa, a potem czerwona. Może by go i pokochała, a on ją też. Niby dlaczego nie, ciało ma jeszcze ładne. A matka jakby i zarazem kochanka to co, zła kombinacja?

A chłopak nie czuje ani jej wzroku, ani wzroku starego geja w garniturze za dobre trzy tysiące dolarów, wcale nie bardzo brzuchatego. Może właściciela zakładu fryzjerskiego w dobrym punkcie na Tribece, blisko studia filmowego de Niro, albo na Madison Avenue. Gej teraz brzuch jeszcze bardziej wciąga i się rozmarza. Dobry Boże, jaki śliczny chłopak – osiemnaście, dziewiętnaście? Zaniedbany, ale zgrabny, a bez ubrania może nawet piękny jest. Pogubiony, bezradny i bez kasy na pewno. Nielegalny może? A jakby tak zaryzykować, bo już dosyć tych polowań w dziwnych miejscach z prostytutkami męskimi, zawsze niebezpiecznymi. A chłopiec ma lekko spuchniętą górną wargę. Ktoś go uderzył czy od pocałunków? Wygląda łagodnie, raczej nie złodziej i jakby jeszcze polubił koty... Gej ma ich trzy w mieszkaniu na West End Avenue, naprzeciwko synagogi. Młodzieniec potrzebuje opieki, to na pewno, może byłby wdzięczny, bo zabezpieczony. I czuły, może nawet bardzo czuły, bo stęskniony za dobrocią.

A chłopak skończył peta i już nie wygląda jak James Dean, tylko chce się wyspać. Nie ma pojęcia, ile myśli namiętnych nad jego głową kołuje. Się raczej zastanawia, ile siostra w seksbranży dokładnie zarobiła, żeby go z Tunisu ściągnąć, jak jej tę forsę oddać i czy pracę obiecaną w pizzerii dostanie. Ale też może, że trzeba będzie zasuwać pieszo na Queens, bo nawet na subway nie ma, a przede wszystkim jak by dobrze było zjeść hamburgera z podwójnymi frytkami. Może teraz się rozgląda i widzi spojrzenie kobiety i potem geja, tylko źle je sobie tłumaczy – obrzydzeniem i pogardą. Może by i pomyślał, że coś więcej w tym jest, gdyby nie niedopałek kolejny, po który się schyla i znika. A jak się prostuje, to już jest 9 Aleja i wszyscy się rozchodzą w górę miasta albo w dół, albo tak jak on w stronę rzeki.

No dobrze, niech sobie będzie, że to melodramacik taniutki, ale pół godziny zeszło. I coś z przypadku w tym jest. No, że mój ojciec spotkał akurat moją matkę, że leciałem tym, a nie innym samolotem. Jeśli nie na przypadek, to na co miałem w życiu liczyć?

Oczywiście, gdybym to teraz układał, to bym chłopaka zrobił terrorystą. Że idzie 42 Ulicą przywiązany do ładunku, którego nawet jakby chciał, to nie może zdjąć. Zgodził się na tę misję albo z przekonania i wiary głębokiej, albo z nienawiści, uprzejmości czy nieśmiałości. Czyli jest skazany, a ci wszyscy, co sobie idą obok, też. Może by go nawet ten gej poderwał, zaprowadził do mieszkania pięknego z widokiem na synagogę, potem przychodzi do rozbierania, chłopak rozpina kurtkę, zdejmuje koszulę…

Ale póki co chrupie śnieżek

Idę sobie w świątecznym tłumie. Mało miejsca na chodniku, bo dookoła starzy, młodzi, średniacy. Kobiety, kobieciny i kobieciątka śliczne, w ciąży albo nie w ciąży, chcianej albo i niechcianej. Ktoś obok trzyma dziewczynę za brzuch wzdęty.

– Skarboneczko moja kochana – szepce. – Pamiętaj, że dwojaczki co najmniej mają być.

Śnieg zaczyna prószyć, a ostatnio mężczyźni są dla kobiet w ciąży lepsi. Nawet gwałciciele skruszeni zgłaszają się po połowę ich pięciuset złotych. Bo taka ciąża to jest oczywiście łaska Boża, ale z drugiej strony i oni mieli w tym swój udział. I jest nadzieja, że wiele takich siłowych flirtów się skończy porozumieniem, a kto wie, małżeństwem może i radosnym porodem, a i w niebie radość też. A jak któryś z gwałcicieli był na przykład kibicem, to przecież w genach może przekazać nienarodzonemu bezcenną miłość do polskiej piłki nożnej.

Rozglądam się i idę, idę i się rozglądam, sypie już na całego. Ciągle nie mam pewności, czy dobrzy ludzie obok szczęśliwi są, czy skrzywdzeni? Odrzuceni, rozgoryczeni – czy radośni? Czy myślą dumnie, że wstali z kolan? Czy zrezygnowani i kombinują, jak uciec do Irlandii? Czy są pierwszej, drugiej czy trzeciej kategorii? Inteligentni czy niekoniecznie? Bo mają twarze, z których nie zawsze łatwo coś wyczytać, do tego śnieg, wiatr, więc się trochę kulimy. Ale jak nawet twarz na zewnątrz mało co wyraża, to w środku jest z pewnością uduchowiona. A jak nie wyraża nic w ogóle, tylko wytrzeszcza oczy, to to już jest samo uduchowienie. Wiem, bo sam ostatnio wybałuszam oczy.

Idę sobie, tylko trochę mnie męczy, że mam jakiś pogrzeb poranny, na którym mam coś powiedzieć, ale nie tylko nie wiem co, ale jakby nie mam pewności, czyj to pogrzeb. Ale biało-czerwona drużyno spokojnie, pochodzę, to sobie przypomnę. Mam czas. Przynajmniej wiem na pewno, że to nie rodziców, bo już byłem. Ani Gustawa Holoubka. Z nim byłem na pogrzebie sławnej polskiej aktorki i ze smutkiem powiedział:

– Nieboszczka bardzo chuja lubiła.

Potem byłem na jego własnym, i to doskonale pamiętam. Nie Słonimskiego, Iwaszkiewicza, Konwickiego, Himilsbacha, Minkiewicza. Nie Pawła Hertza, którego spotkałem najpierw na Nowym Świecie z bukietem kwiatów, a kiedy spytałem, czy to dla przyjaciela, pokręcił głową, że wszyscy już nie żyją. Bo byłem przecież na odsłonięciu tablicy na jego cześć. Nie Henia Berezy, bo byłem, bo też nie Dygata, Osieckiej, Czyżewskiej, Alka Naleśnika. Nie Pstynki, Drabiny, Patelni, bo jeszcze żyją. Nie wielkiego pisarza Juliana Stryjkowskiego, który był znany po części z *Austerii*, a po części ze skąpstwa, bo się mówiło, że na jego balkonie gołębie umierają z głodu, i że jak tańczy, to liczy kroki.

Mgła się robi coraz większa i wilgoć; Stryjkowski by zatarł ręce i wesoło powiedział:

– Bardzo dobrze, bardzo dobrze, po co tym Polakom dobra pogoda.

A śnieżek chrupie chrup, chrup, chrup. A my tup, tup, tup. A tu Mickiewicz, renifery i pałac prezydenta ludzkich serc, Hektora belwederskiego, który unieważnił narzekanie naszego dziewiętnastowiecznego poety Niemcewicza: „Czemu nieba nie raczą bohatera wskazać, co by śmiał kraj uwolnić i wstyd jego zmazać”.

Mgła opada coraz niżej

U Josepha Conrada mgła oznaczała niejasność, niepewność, zagubienie, bo Conrad się męczył. Ale u nas wprost przeciwnie. Tyle że mało widać. Do tego zerwał się wiatr, tak że załopotała flaga nasza „czerwona jak puchar wina, biała jak śnieżna lawina" i próbowała naśladować ją szmata unijna. A we mgle z góry szum. Ktoś obok się przysięga, że to ze szczytu pałacu się poderwały orły chorągwiane, co go strzegą. Ktoś inny, że to nadleciały jak w nieśmiertelnej *Nocy listopadowej* Wyspiańskiego boginie zwycięstwa, żeby przepędzić demony, jędze, upiory złe, poszarpane, obgryzione, czyli pedalstwo, żydostwo i aborcje. Ja przez chwilę myślę, że ten szum to tylko helikopter, którym wraca z kolejnej udanej misji może sam minister obrony. I zaraz wyląduje obok, na dachu Biura Bezpieczeństwa Narodowego. A na razie spogląda zatroskany z góry swoimi ogromnymi oczami, w których jest łagodność przedwcześnie zmarłego Bin Ladena.

Ale w końcu niczego się nie da wykluczyć. Ja mam przeklętą skłonność do spłycania albo urealniania. Ale może jednak to Wyspiański i jego wezwanie „Opętańcze mieczowy, do dzieła!". Bo weźmy, że to jednak dobre duchy fruną, niosąc duchowe wartości, nie tylko orły, ale i archaniołowie, a z nimi te boginie zwycięstwa czy niezasłużonej klęski, nie o to chodzi. Nike spod Chocimia, Nike spod Maciejowic, Nike spod Westerplatte spoglądają z góry na nas łażących i się wahają, zastanawiają – czy warto ten nasz góra pięciotysięczny tłum zagospodarować? Wytłumaczyć, jakie to piękne i podniecające uczucie, kiedy jesteś, na przykład, ciemny i głupi, a ci mówimy, że jesteś najlepszy i wyjątkowy, tylko żebyś broń Boże nie zaczął myśleć. I otrzymujesz wszystkie gwarancje patriotyczne, bez żadnych warunków, poza tym jednym, że się nie zmienisz. Czy jednak szkoda czasu. I odlecieć tam, gdzie świętuje suweren, gdzie bije katolickie serce Europy, w głąb kraju.

A czarna limuzyna przebija się do pałacu i piękna krępa kobieta w garniturze wysiada. A ze środka spiżowy głos pyta: „Tyżeś to przy mnie stanęła we wieńcu błyskawic, niewiasto? Łuną palisz się jasną". A ona jak Pallas odpowiada: „Oto jestem przy tobie siostrzyca; błyskawice w mym ręku się palą i gwiazdy w mym ręku gasną". I już razem jadą do tego, co „chodzi w chwale… wszyscy ku niemu drżą".

Ktoś szarpnął mnie za ramię. Otrząsam się, chyba na chwilę przysnąłem, bo przysiadłem na ławeczce przy pomniku Bolesława Prusa. Otrzepałem się ze śniegu. A ten ktoś zaczyna mnie przekonywać, że u nas nic nie może się udać, że z brzydkiego kaczątka żaden łabędź, tylko brzydka kaczka wyrośnie.

Dlaczego to w ogóle piszę

Niedawno w Warszawie, czyli ze trzy lata temu, to znaczy w 2015 roku, jeszcze przed wyzwoleniem, jedna dziennikarka zaczęła mnie namawiać. Spotkaliśmy się w barku w hotelu Bristol przy stoliku, przy którym przed remontem siadał świętej pamięci Jan Kulczyk. On mnie ostrzegał, że tam jest podsłuch zamontowany na stałe. Nie za bardzo wierzyłem, ale jakiś czas temu w kawiarni Czytelnik na Wiejskiej trzech parlamentarzystów różnych opcji rozmawiało tak, że pisali sobie coś na karteczkach, podsuwali i kiwali głowami, że tak, albo kręcili, że nie. A na końcu jeden zebrał karteczki i starannie podarł. Co zostało, spalił przy szatni w toalecie. Powiedział mi o tym szatniarz, zaniepokojony, bo się dymiło. Zacząłem razem z nim grzebać w tym, co nie spłonęło, bo mam słabość do materiałów historycznych, ale do niczego istotnego się nie dogrzebaliśmy.

Potem te podsłuchy byłego rządu, więc lojalnie ostrzegłem dziennikarkę, a ona przysunęła się i szeptem zaczęła mnie namawiać na wywiad rzekę.

Barek w Bristolu to nie jest najgorsze miejsce na spotkania. Pustawo, przyćmione światło, a wieczorem dodatkowo świece. Pianista gra wzmacniające duszę kawałki, na przykład *As Time Goes By* z filmu *Casablanca*. Młode dziewczyny, poprzebierane za kelnerki, zgrabnie się poruszają. Nie docierają tu spod pałacu prezydenckiego lamenty zdradzonego przez polityków narodu. A nawet gdyby docierały, to po trzech wódkach człowiek głupieje i zaczyna myśleć egoistycznie – no dobrze, niech będzie, że zdradzony, odrodzi się, pomści i ukarze. A po kolejnej wydaje się, że wszystko co niemożliwe, jest możliwe – wszyscy ludzie są równi i godni miłości, nawet pederaści, których jak wiadomo Bóg zesłał na ziemię, żeby pokarać ludzkość za grzechy. A po piątej dziennikarka już ma oczy, nogi, piersi i torebkę od Gucciego.

I widząc, że się w sprawie wywiadu waham, zaszeptała, że będziemy się spotykać u mnie raz w tygodniu i że jest gotowa oddać mi, co ma najświętszego. Przedyskutowała to już wcześniej z mężem i on się w stu procentach zgadza. Powiedziałem:

– Dobry Boże.

A ona rzekła:

– Dobry Boże to za mało. Mam mocne nogi, jestem uduchowiona, kocham literaturę i książki bez litości.

Ja nie jestem człowiekiem młodym, wprost przeciwnie. Jedyne, co mi zostało, to zła reputacja, której staram się za wszelką cenę być wierny. „Zresztą całe moje życie ukształtowało się na wierności. To jest moje najważniejsze uczucie i w jego obronie gotów jestem poświęcić życie". To akurat nie ja mówię, tylko szef carskiej tajnej policji generał T. – najobrzydliwsza postać w powieści Conrada *W oczach Zachodu*. Ale cokolwiek by powiedzieć, wierność i honor w służbie łajdackiej to też może być wierność i honor – czy nie? A patriotyzm? Czy to jest służalczość wobec takiej władzy? A czy honor to jego brat?

Tak czy inaczej poprosiłem dziennikarkę o czas do namysłu. To była kusząca propozycja. Po pierwsze, że moje notatki mają aż taką wartość. I korzyść – po drugie – ogromna, jeżeli oczywiście dziennikarka okaże się człowiekiem honoru.

Jeszcze do jednego się muszę przyznać. Uśmiejecie się państwo, ale zanim człowiek dojrzeje do pisania narodowego, to mu mącą w głowie różne aberracyjne pomysły, żeby na przykład powalczyć z hipokryzją i głupstwem albo i głupotą.

Bo jeszcze wtedy nie rozumiałem, że głupota jest w ogóle za głupia, żeby coś z tego zrozumiała. Czy głupiec może nabyć rozumu, a dziki osioł się urodzić jak człowiek? To z *Księgi Hioba*, do której wrócę.

Nadzieja umiera ostatnia

To też była noc, tyle że bardzo dawno temu, ale też sypał śnieg i przyduszał wiatr. Do takiego go-go baru, tyle że ogromnego, tak że końca nie widać, bo dym i sztuczny, i z papierosów, na Broadwayu przy 47 Ulicy zaciągnąłem na chwilę Jacka Kuronia.

To była pierwsza jego wizyta w Ameryce. Nie pamiętam kiedy, na pewno po stanie wojennym, po koszmarnych śledztwach, więzieniach i po wielkim zwycięstwie, był najpierw w Waszyngtonie, spotkał się z kongresmenami na Kapitolu, obejrzał z bliska pomnik Lincolna. A ja go naprawdę podziwiałem, więc chciałem z głębi emigracyjnego serca pokazać mu najlepsze, na co stać prostego polskiego pisarza w Nowym Jorku. Więc najpierw wepchnąłem go siłą prawie do kabaretu sado-maso, z którego wybiegł z obrzydzeniem, bo mu się kajdany i bicze źle kojarzyły. To ubłagałem go jeszcze, żeby do tego go-go baru tuż przy hotelu Mayflower przy West Side, tam przy Columbus, wejść na chwilę i się ogrzać, bo się wiatr nowojorski znęcał nad ludźmi. A bar gorący, huczący muzyką, zapchany mężczyznami we wszystkich kolorach. I namiętnościami. Kobietami półnagimi, tańczącymi na scenkach. I ten dym z papierosów i sztuczny. Usiedliśmy na chwilę przy podeściku, na którym tańczyła smutno najbrzydsza i najstarsza emigrantka z Kuby, bo tylko przy niej były wolne miejsca, ale ja, wstydząc się za Nowy Jork, rzuciłem się szukać czegoś lepszego i znalazłem dwa miejsca przy przepięknej Portorykance, jednak Jacek pokręcił głową, że nie, nie możemy się stąd ruszać.

– Ale dlaczego?

– Bo tej tu daliśmy nadzieję. Nie możemy jej zostawiać. Nikt poza nami nie chce na nią patrzeć, bo stara i brzydka. Ale my dwaj będziemy.

No i zostaliśmy. Jacek z ponurą miną obrzucał ją dolarami, które dostał od Sorosa na rozwój demokracji w Polsce, a ona po skończonym występie, już ubrana i bez makijażu, czyli jeszcze brzydsza, podeszła nieśmiało i przyznała, że wie, że jest do tej pracy za stara i lada chwila ją wyrzucą, ale zamiast zarabiającego męża ma dwóch małych synów. Jacek zamówił dla niej szampana, a ona hałasowała, żeby zwrócić uwagę szefów, jakie ma powodzenie, potem się rozpłakała i pobiegła do tych dzieci. A ja odprowadziłem Kuronia do hotelu i pomyślałem, że to naprawdę dobry człowiek.

Trzy kobiety

No i taka sama noc świąteczna, zaśnieżona, tylko parę lat do tyłu na Majdanie. I trzy kobiety bez wieku, na pewno biedniej poubierane, poowijane chustami, bo większy mróz, z różami w rękach rozepchnęły obrońców na barykadzie głównej, ześlizgnęły się po murach z piaskiem, po zlodowaciałych bryłach lodu i śniegu, i uklękły na ziemi niczyjej przed gęstym szeregiem Berkutu w hełmach i maskach plastikowych z tarczami lśniącymi, w których się przeglądali. I uderzyły głowami w śnieg i lód po cerkiewnemu, i zaczęły się żalić i prosić: „Synkowie, my mamy synków w Berkucie, opamiętajcie się, dzieci, litości, wy macie nas chronić, a nie mordować". No i była chwila ciszy i namysłu, a potem berkutowcy wybuchnęli śmiechem. A śmiech to rzecz zaraźliwa, i ci na barykadzie też się zaczęli śmiać i śmiali się ci i tamci całkiem długo. Przez ten czas kobiety się podniosły i wdrapały z powrotem. A po chwili, pięknie jak komety, nad barykadą latały koktajle Mołotowa.

W czternastym wieku Tatarzy długo i bezskutecznie oblegali jedno miasto germańskie na Krymie. Wśród Tatarów wybuchła dżuma. Wtedy chan Dżanibek wpadł na pomysł dość świeży. Kazał wystrzeliwać z katapult za obronne mury zarażonych i umarłych zamiast bezsensownych kamieni. Bardzo szybko miasto się poddało, ale przedtem wypłynęło na Morze Czarne kilka okrętów. Ci, co uciekali, jeszcze nie wiedzieli, że też są zarażeni, więc na początek zarazili szczury, a dopiero później Włochów i Francuzów, a wszystko zwalono na szczury. Ale to tak tylko, na boku wspominam. A o krzywdzie szczurów jeszcze będzie.

Oczy za mgłą i bez

Każdy głupi wie, że w naszych czasach wołanie o litość budzi głównie wesołość. Przykro, że się ciekawość kończy, bo to był zawsze główny motor postępu. Od wyjścia z raju przez latanie w powietrzu do, powiedzmy, don Juana, który przecież wiedział, że kobiety różnią się tylko od pasa w dół, ale dla świętego spokoju sprawdzał. Tak samo Donatien Alphonse François Marquis de Sade nacinał i przypalał wyłącznie z ciekawości, no i żeby oczywiście tak jak don Juan Boską cierpliwość wypróbować. Bez perspektywy piekła albo nieba nawet obiektywnie ciekawe pomysły ziały nudą. W każdym razie nikomu w jego książkach – ani Justine, ani zakonnikom – oczy mgłą nie zachodziły. Nikt z rozkoszy ani nie jęczał, ani nie stękał, a postęp się dokonywał, wprawdzie powoli, ale go było widać.

Teraz, owszem, z początku ciekawiło nas podrzynanie gardeł przed kamerami. To samo z ćwiartowaniem, wyłupywaniem, podtapianiem, miażdżeniem ciężarówkami. Ale ostatnio nawet mordowani wyglądają na znudzonych i to dodatkowo psuje całe widowisko. To że księża, amerykańscy masowo u siebie, a ostatnio nasi na Dominikanie, zapoznawali nieletnich z wartościami chrześcijańskimi w sposób może i niekonwencjonalny, też już nie budzi większego zainteresowania. Zresztą, na szczęście Kościół, matka nasza, już się podobno podźwignął.

Tak czy inaczej syryjskie obserwatorium praw człowieka ogłosiło, że rok 2017 był najbardziej krwawy od czasu wybuchu wojny domowej w Syrii. Setki tysięcy zabitych, a jedna trzecia to kobiety i dzieci. Nie ma pewności, czy włączono w to trochę ponad dwa tysiące porwanych i zgwałconych Jezydek, z których część zdążyła udusić się szalami.

Ci Jezydzi to w ogóle dziwny naród, nie wiadomo dlaczego wierzą, że Bóg wybaczył grzechy upadłemu aniołowi i przekazał mu władzę nad światem.

Teraz się trochę waham, bo mogę iść albo w lewo, albo w prawo, albo prosto, w stronę Bristolu, Europejskiego i domu Bez Kantów, albo odrobinę się cofnąć tam, gdzie była winiarnia u Jadzi, czyli tak zwana Partumiarnia.

Zaraz się zdecyduję. W dwudziestym pierwszym wieku, mimo że to początek, u nas same wątpliwości. To znaczy to, jak pić denaturat, żeby nie oślepnąć, wie każde dziecko, ale kto spalił kogo w Jedwabnem – Polacy Żydów czy Żydzi Polaków – to już niekoniecznie, żeby nie wpuszczać uchodźców, bo roznoszą wszystko, co najgorsze, to wiadomo, ale gdzie i jak umarł Mickiewicz, i za co, to już nie. Chociaż akurat jego mijamy.

Ciekawa rzecz, że kiedy Donald Trump wydał swoje sławne antyemigracyjne przepisy, to gwałtownie się z nim zgodzili Kubańczycy i Polacy, którzy już mieszkali w Stanach Zjednoczonych, byli obywatelami i absolutnie im się nie uśmiechało, że napłynie więcej chętnych.

Partumiarnia

Po tej samej stronie ulicy, a naprzeciwko pomnika Adama Mickiewicza była winiarnia U Pięknej Jadzi. Brudna, obdarta, ale uduchowiona, znana też jako Partumiarnia. I tam tłumek studentów Akademii Sztuk Pięknych albo już z dyplomami, albo bez, albo z talentem, albo bez, pod przewodem Andrzeja Partuma, poety, malarza filozofującego i happeningowca przeklinał komunę, pluł na skurwysyństwo malarzy socrealistów, którzy zgarniali cały szmal, malując murarzy podających cegły, Lenina na parowozie z czapką w ręku albo robotników w kajakach, wesoło śpiewających po pracy.

To nie był lokal dla VIP-ów, ale o wiele lepiej niż w parku. W Partumiarni było tanio, się piło alpagę, wino marki wino po cztery złote flaszka, wodę brzozową na łupież albo przynoszony po kryjomu denaturat, nazywany pieszczotliwie oślepkiem albo jagodzianką na piszczelach, bo państwo przyklejało na postrach nalepkę z trupią czaszką, żeby nie odciągała uwagi narodu od czystej wyborowej z czerwoną kartką.

Niektórzy mieli własne dziewczyny, głównie siedemnastoletnie, a może i dziewiętnastoletnie, często śliczne, zaprojektowane do czegoś lepszego, ale wychudłe i wyniszczone od biedy, papierosów, oślepka i braku nadziei, tak że wyglądały na dwa razy więcej. Pety były tam wypalane do paznokcia, fusy od kawy po turecku słodzone i wyjadane, bo nic się nie miało prawa zmarnować. Poniektórzy coś sobie mazali abstrakcyjnie – jakieś czarno-białe przepaście, w które wpadał bohater powieści Malcolma Lowry'ego *Pod wulkanem*, konsul alkoholik – na co nikt nie chciał splunąć. A jak już nie było na alpagę, to na studiach, po cichu, wstydliwie dekorowali sale na akademie patriotyczne albo narodowe „ku czci", albo dorabiali w tygodniku dla dzieci „Miś", upychając zapitym albo naiwnym redaktorom ledwo zamaskowane stałe rubryki rysunkowe takie jak „Przygody Laleczki Wydmuszki" czy „Zaczarowany flecik".

Mieli po dwadzieścia lat i myśleli, że wszystko się już szczęśliwie dla nich ułożyło. Zdarzyło się, co się miało zdarzyć i przesiedzą sobie tutaj bezpiecznie aż do śmierci, i po kłopocie. Co się okazało, jak każde piękne marzenie, nieprawdą.

Nawet służby bezpieczeństwa machnęły ręką i nie proponowały współpracy, bo niby na kogo mieliby donosić.

Ja tam miałem blisko z Bednarskiej i z Uniwersytetu Warszawskiego, gdzie się na Wydziale Filologii profesor Jan Kott upierał, że Shakespeare się dookoła i na naszych oczach rozgrywa, tyle że mocno skundlony, a kiedy indziej, że to zwykła farsa. W końcu dał spokój i wyemigrował do Stanów Zjednoczonych.

Było tanio, rozpaczliwie wesoło, dziewczyny nie miały zasad, do SPATiF-u mnie nie wpuszczali, bo nic jeszcze nie wydrukowałem, a pieniądze na alpagę miałem, bo Jan Kott mnie poparł i mi załatwiono pisanie recenzji teatralnych w Polskim Radiu.

Niesprawiedliwość

Niektórzy w Partumiarni trochę słyszeli o Jacksonie Pollocku, co tak jak oni pił, biedował, pluskał farbą na płótna, rozcierał łokciem i mu płacili za ten abstrakcyjny ekspresjonizm ciężkie pieniądze. Nie wiedzieli, bo niby skąd, że Pollocka wymyśliło CIA, doprowadzone do rozpaczy żałosnym realizmem malarstwa amerykańskiego, z którego się śmiała cała Europa. No i w tajemnicy przed Kongresem i przed Pollockiem, bo by się na to nigdy nie zgodził, CIA uruchomiło swoich ludzi w muzeach, pozakładało fundacje specjalne, namówiło eleganckie magazyny i wykreowało tego pijanego obdartusa na genialnego buntownika.

Podobno do Gomułki też przyszedł wysoki towarzysz, który właśnie wrócił z Paryża, i poradził:

– Słuchaj, Wiesiek, daj ty tej jebanej abstrakcji zielone światełko. Zobacz, co się na Zachodzie wyprawia. Niech nasi też sobie malują te kwadraciki i kółka. Naród ma to głęboko w dupie. A tak to nie daj Boże ktoś ciebie przez zemstę realistycznie jak chuja namaluje. Z abstrakcji zysk będzie czysty, bo się ogłosi, że w Polsce jest wolność sztuki.

Gomułka machnął ręką na tak i się przez chwilę wydawało, że dla tych utalentowanych nędzarzy z Partumiarni nadejdzie sprawiedliwość. Ale nie nadeszła, bo byli za bardzo pijani, osłabieni i zanim do nich coś doszło, sławni socrealiści przeżyli przełom i się jednym susem na abstrakcję przenieśli. I wszystkie miejsca znów były zajęte.

Jeden Partum, co miał wyczucie poetyckości kraju, się nie poddawał, tylko zadzwonił do dyrektora Teatru Wielkiego i się przedstawił jako przewodniczący Rady Państwa, towarzysz Zawadzki, i oświadczył, że byłoby wskazane, żeby w Sali Kameralnej Filharmonii Narodowej odbył się wieczór młodego, utalentowanego poety Partuma, a wiersze niech najlepiej przeczyta aktor sławny Adam Hanuszkiewicz.

Partumiarnia wstrzymała oddech, bo za chwilę na mieście pojawiły się ozdobne plakaty informujące o tym wydarzeniu. Ale nieszczęście krążyło już dookoła. Na jakimś oficjalnym spotkaniu z władzami dyrektor podbiegł do towarzysza Zawadzkiego i powiedział, że już się robi. Ten wytrzeszczył oczy i plakaty zdjęto.

Miłość Otella

Jest paskudnie, bo myśli, zamiast ulecieć radośnie w górę jak orły, się tłuką, a wspomnienia jak szczury w starych kanałach pomykają do tyłu. Ale się zaraz wytłumaczę z tej Partumiarni, bo tam malarze malarzami, ale jej szefową była młodziutka Jadźka, piękna, bogata praską urodą. Oczy miała płonące, włosy czarne, nogi pięknie owłosione, jak u sarenki, a piersi jej podskakiwały pod fartuchem jak marzenie lepszego życia. Kochałem się w niej beznadziejnie, tak jak większość, w snach wyrabiałem z nią niesamowite rzeczy.

Ale Jadźka żyła w grzechu z Otellem, synem kuśnierza, też z Pragi, z którym się potem zakolegowałem na długo. Otello też miał włosy czarne, był wysoki, co zawdzięczał głównie wyjątkowo długiej szyi, nos miał jakby ulepiony z kilku kawałków, oczy trochę za blisko ustawione i wybałuszone, ale ogólnie był udany.

Przed Jadźką żył z bufetową na Dworcu Głównym. Miał z nią córeczkę, ale mi się przyznał, że podejrzewał, że ona jest mało wierna, więc ją postanowił udusić. Nawet zaczął, ale się poślizgnął, a ona złapała oddech i go przekonała, że po jej śmierci będzie się musiał dzieckiem zajmować. Wtedy zastanowił się i jej nie dodusił, tylko wygnał z powrotem na Dworzec Główny. I właśnie od tej pory przezywali go Otello.

A Jadźka żyła z nim w szczęśliwym związku, zamieszkując na razie na parterze w hotelu harcerskim Pod Liliami. Pokój udostępnił im starszy recepcjonista, były akowiec o ksywce Niedobitek. Rodzice Jadźki to była „arystokracja" – mieli trzy stragany na bazarze Różyckiego i pięciopokojowe mieszkanie przy samym rogu Brzeskiej i Targowej. Byli też głęboko wierzący i praktykujący i zażądali kościelnego. Otello się migał jak mógł, bo miał w perspektywie jeszcze setki słodkich cipek, ale w końcu zgodził się przyjść na uroczysty obiad. Po koniaku, jarzębiaku, winiaku i soplicy, śledziach pływających w śmietanie, kaczkach wypchanych jabłkami i schabiku przetykanym śliwkami wyłożono karty na stół.

– Dobrze – zgodził się Otello. – Kocham Jadźkę i mogę wziąć z nią kościelny, ale jest jeden warunek. Codziennie o osiemnastej laska musi być zrobiona i jest mi wszystko jedno, czy zrobi to moja narzeczona, mamusia czy szanowny tatuś.

Rodzice długo rozważali wszystkie za i przeciw, naradzali się z księdzem, który zachęcał do zawarcia świętego związku małżeńskiego na tych warunkach, a potem się zobaczy. Ale ostatecznie powiedzieli „nie".

A Jadźka przysięgła, że się do Otella więcej w życiu nie odezwie, bo go brała za kogoś innego i od tej pory go nie kocha.

Życie literackie

Stanisław Grochowiak, który zaglądał do Partumiarni po drodze do barku w Europejskim, namówiony przez poetę lirycznego i dramaturga Irka Iredyńskiego, który też tu zaglądał z poetą Romanem Śliwonikiem, napisał Otellowi rekomendację do Koła Młodych przy ZLP, do którego już należał Janek Himilsbach.

Janek twierdził, że pisze powieść o trudnym życiu przedwojennego komunisty Mariana Buczka i na ten cel dostawał stypendium twórcze. Janek wytłumaczył Otellowi, że żeby zwrócić na siebie uwagę i nabrać znaczenia, jak akurat nie ma tekstu, to będzie musiał się czymś wyróżniać, żeby go zauważyli i zaczęli szanować. Wszystko jedno, czy alkoholizmem, pobożnością, podłością, pedalstwem, brakiem zębów czy antysemityzmem.

– Bo na przykład, żeby się święty Piotr nie zaparł, niewierny Tomasz nie chciał uwierzyć, to złamany chuj by o nich nie pamiętał.

Otello wysłuchał uważnie i na początek nawiązał romans ze sławnym pisarzem homoseksualistą, wydał z jego pomocą dwa tomiki buntowniczych wierszy, ale nie za bardzo mu się to podobało, bo pisarz był wymagający i Otello chodził niewyspany.

Więc się przerzucił na antysemityzm, przestał podawać rękę Himilsbachowi i zbliżył się do grupy postępowych katolików patriotów, nauczył się *Bogurodzicy*. Miał ładny baryton. Protestował też z innymi patriotami przeciwko uprawianej na łamach zachodniej prasy oraz na falach dywersyjnej Wolnej Europy obrzydliwej kampanii szkalującej Polskę Ludową pod absurdalnymi zarzutami łamania praw obywatelskich i konstytucyjnych, będącej obcą bezczelną ingerencją w nasze wewnętrzne sprawy. Zbliżył się do nurtu narodowo-patriotycznego Mieczysława Moczara i przechwalał się, że był osobiście autorem hasła „Kto nie z Mieciem, tego zmieciem".

Regularnie leżał krzyżem i wkrótce zasłynął też z pobożności. Pamiętam, jak w kawiarni Związku Literatów Polskich zapytał Konwickiego, czy będzie dziś na nieszporach, a Tadeusz odpowiedział:

– Ja nie muszę chodzić do kościoła, ja jestem wierzący.

A tymczasem Partumiarnię zamknięto. Nie ma pewności, czy przyczyniły się do tego pisma interwencyjne Otella, który sugerował, że matka Jadźki nie była rdzenną Polką i że po zwycięskiej wojnie Izraela z Egiptem Jadźka rozdawała malarzom alpagę za darmo, czy po prostu władza postanowiła zlikwidować podejrzane ideologicznie gniazdo pasożytów, w dodatku znajdujące się na Trakcie Królewskim i w pobliżu kościoła Świętej Anny i nieprzynoszące odpowiednich dochodów.

Sam Partum wyślizgnął się za granicę i tam utonął w tłumie. Młodzi malarze zamieniali się w starych i nawet zaczęli wymierać, zwłaszcza że komuniści nie do końca kłamali z tym oślepkiem. Dziewczyny powychodziły za mąż i wychowywały dzieci, a najładniejsze poprzenosiły się do barków w hotelach Polonia, Bristol, Europejski i Dom Chłopa. Na wyzwolone kobiety było ogromne zapotrzebowanie, bo z Niemiec Zachodnich zaczęli w latach siedemdziesiątych przyjeżdżać masowo na weekendy arabscy gastarbeiterzy, którzy byli tam opłacani w twardej walucie. Na prostytutki w Hamburgu czy Monachium im nie bardzo starczało, a w Polsce byli traktowani jak paniska. Dawali napiwki, portierzy i kelnerzy kłaniali się im w pas. I tylko najbardziej patriotyczne dziewczyny, takie jak Iza, Drabina czy Patelnia nie utraciły serdecznych więzów łączących polską wspólnotę i śpiewały w barku w Hotelu Europejskim:

A na dworze wicher hula,
mróz, zawieja,
wszystkie idą do Araba,
tylko nie ja.

Może mgła to podniecony karnawałem śnieg

Wiatr znów przyleciał, kłęby śniegu podekscytowane podnoszą się z chodnika i idą do nieba, układają się w wirujące słupy. Żeby to było czterdzieści lat temu, tobym zobaczył, jak pani sprzedająca róże na rogu Karowej i Krakowskiego Przedmieścia rozstawia nogi i pienisty strumień płynie w dal, aż do nocnego Bristolu, który był najdroższą knajpą w mieście.

Ale teraz jest noc karnawałowa, biała. Trochę może zagmatwana albo i zamglona, ale tłum się powiększa. Céline, szalony i wielki pisarz, nie miał wątpliwości, że noc to jest najpiękniejsza pora życia. I że tylko i wyłącznie ci, co się w nocy nie kładą, do czegoś dochodzą. I miał rację. Państwo Makbet na przykład. W ogóle każdemu ciemności są potrzebne, no, żeby wyzwolić człowieka w człowieku. Nie czekasz na agonię, godzinę śmierci, żeby móc powiedzieć prawdę, albo i szczerze wykrzyczeć, co się czuje i co się myśli. A gęsta ciemność to już błogosławieństwo. Wszystkie najciekawsze rzeczy się po ciemku odbywają. Noc Świętego Bartłomieja, Noc Kryształowa, Noc Długich Noży, że wymienię pierwsze z brzegu.

A w wolnej Polsce nocne ustawki kibiców, podpalanie schronisk dla uchodźców...

W szkole TPD numer 1 byłem w zespole recytatorskim i jak nas odwiedzali goście radzieccy, deklamowaliśmy im na powitanie nocny wiersz, autora akurat nie pamiętam. To szło tak:

Długo w noc paliły się okienka,
Kolegium obradowało aż do brzasku.
Siemionow ciężką ze znużenia ręką
Podpisał wyrok w sprawie tych dwunastu.

I oto ciała już złożono w grobie,
Siemionow wsiada do starego auta...
I tylko na wysokim jego czole
Przybyła jeszcze jedna twarda fałda.

I goście mieli łzy w oczach. „Śpij majorze, już świt niedaleko" – to pocieszał w nocy oficera służby bezpieczeństwa polski poeta, bo majorowi przesłuchującemu kolejnego akowca, normalnie po ludzku zabrakło sił, zwłaszcza że „padło każde pytanie" i „kłamała każda odpowiedź". Nie dał rady i z przepracowania, ku radości przesłuchiwanego, zasnął.

Ale po co daleko szukać. Nawet teraz, w wolnej Polsce, ważne uchwały i mądre ustawy często nie mogą czekać do świtu i parlamentarzyści mają oczy podkrążone – ale i komfort moralny. Tak już jest, dla jednych noc to bezużyteczny odpoczynek, strata czasu i życia, albo nudny, odrabiany z obowiązku seks małżeński, chyba że po pół litrze, żona się broni, wyrywa i można jej przyłożyć po ryju. Ale dla prawdziwych patriotów, którym leży na sercu dobro kraju, jest inaczej. Lenin radził Dzierżyńskiemu: „Żonie mów, że idziesz do kochanki. Kochance, że idziesz do żony, a sam na strych i pracować, pracować i jeszcze raz pracować".

W dawnym gmachu Komitetu Centralnego PZPR, kiedy nasz pracujący naród już spał i śnił piękne kolorowe sny o czołgach jadących autostradą do Paryża, długo paliło się światło w gabinecie Władysława Gomułki. I sekretarze od prasy, kultury, propagandy trzęśli się po ciemku ze strachu, co też tam pierwszy wymyśla i co ich czeka. Aż nocna sprzątaczka podsłuchała pod drzwiami okrzyk pierwszego sekretarza „mydło", bo on z towarzyszem Zenonem Kliszko grał w domino.

W 1970 roku, jak była rzeź stoczniowców na Wybrzeżu, Kliszko nie mógł grać, bo był zajęty w centrum dowodzenia, a Gomułce odłączono telefony, bo chciał wzywać Rosjan na pomoc. Podobno wtedy chciał wybiec z gmachu i pieszo dotrzeć do ambasady radzieckiej, na Belwederską. A towarzysze, którzy chcieli Gierka, próbowali go siłą zatrzymać. Bali się jednak dotknąć rękami, więc łapali go na szalik.

W restauracji Russian Samovar na 52 Ulicy tuż przy 8 Alei

Naprzeciwko Russian Samovar, knajpy ogromnej i ozdobnej, była przez jakiś czas konkurencyjna Russian Vodka Room. Była, ale krótko, bo jak to w życiu bywa, przez przypadek – albo i nie – wybuchł tam pożar i już jej nie ma.

Jak się wchodziło do Samovaru, to po lewej znajdowała się malutka szatnia, którą kierował duży Borys, a na prawo długi, może i na dziesięć metrów, powyginany i pozakręcany bar. Barem zarządzał Sasza. Piękny, trochę łysiejący, ale z długim ogonem oślepiająco jasnych włosów. Ten sam Sasza, do którego pisała listy miłosne moja i już nie moja Natasza.

Kiedy Natasza jego też rzuciła, przychodziłem tam prawie codziennie, żeby o niej chociaż porozmawiać, a może i się jak najwięcej dowiedzieć. Czy coś o mnie może przypadkiem mówiła, kiedy była z nim i ze mną, i takie tam różne. Piliśmy specjalność Samovaru – wódkę chrzanową, która smakowała trochę jak sushi, a przy barze siedziały równo, jak kury na grzędzie, i słuchały, i się czasem wtrącały, zamorskie księżniczki. Śliczne, białowłose, długonogie, błękitnookie.

Siedziały, piły i czekały na wielką miłość. Na seks i pieniądze może trochę też, ale nie o to chodziło. Bo wiedziały, że miłość w końcu przyjdzie.

W Moskwie studiowały literaturę, znały na pamięć Puszkina i Jesienina. Wychodziły fikcyjnie za mąż, żeby tylko wyjechać, albo zbiegały ze sceny w czasie gościnnych przedstawień Teatru Bolszoj i prosiły o azyl.

Bezlitośni nowojorscy biznesmeni, bezwzględni brokerzy z Wall Street byli wobec nich bezradni. Zakochiwali się, rozwodzili, łamali sobie kariery, wyskakiwali przez okno z Trump Tower. Nie mogli zrozumieć ani tego, że szły z nimi do łóżka z pogardą, ani tego, że potrafiły napluć na studolarowe banknoty i przylepić im je do czoła, a kiedy indziej upaść przed nimi na kolana i modlić się do nich.

Sasza znosił rozstanie trochę lepiej, ja dużo gorzej. Ale co tam Sasza, brokerzy albo ja. Sam Dostojewski miał z rosyjskim człowiekiem problemy. Przecież *Notatki z podziemia* miały się kończyć tak, że podły bezimienny nihilista doznaje, jak Raskolnikow, nawrócenia. Spada na niego, obmierzłego, łaska Boża. Ale carski cenzor się oburzył i rozkazał wyrzucić całą trzecią część, bo uznał, że nihilista musi być do końca wstrętny i na żadną łaskę nie zasługuje.

I wielki Fiodor Dostojewski najpierw szalał ze złości, skarżył się, pisał: „Świnie cenzorzy! Tam, gdziem się pastwił nad wszystkimi i niekiedy bluźnił przeciw Bogu dla pozoru, przepuścili. A gdziem z wszystkiego tego wyprowadził potrzebę wiary i Chrystusa – to zabronili".

Carski cenzor jednym palcem zgniótł główną ideę *Notatek z podziemia*, co otworzyło drzwi do różnych interpretacji, których biedny Fiodor nie mógł przewidzieć. A na domiar złego ten utwór miał wpływ na całą dziewiętnastowieczną literaturę i filozofię europejską, łącznie ze sławnym zdaniem Friedricha Nietzschego „Bóg umarł! Bóg nie żyje!".

Ale po długim rozpaczaniu pisarz przycichł, bo do niego nagle dotarło, że dzięki cenzorowi powstało arcydzieło, którym się cały świat zachwyca, i napisał: „Szczycę się, żem pierwszy przedstawił prawdziwego człowieka spotykanego wśród Rosjan najczęściej. Pierwszy zdemaskował jego obrzydliwość i tragizm. (...) To jest moja sława, albowiem w tym jest prawda".

No proszę. A u nas w cenzurze wisiał tylko jeden oprawiony w ramki list od Józefa Prutkowskiego, dziękującego za ocenzurowanie, bo jego wiersz zyskał na klarowności.

W Samovarze tam, gdzie kończył się bar, zaczynał się fortepian. I stoliki, porozrzucane w głąb, daleko w głąb i na boki. Na fortepianie grał i śpiewał Władimir, śpiewał i popijał, bo mu przysyłano przez kelnerów chrzanówkę.

Śpiewał rosyjskie romanse i arietki Aleksandra Wertyńskiego, kijowskiego barda, którego uwielbiała Moskwa przedrewolucyjna i nawet jak tuż za oknem Czerwoni rżnęli Białych i na odwrót, to w salach koncertowych kobiety, pięknie pachnące i obwieszone klejnotami, omdlewały z rozkoszy, słuchając, jak Wertyński śpiewa *Liliowego Negra*.

Gdzie Pani jest?
Kto Ci całuje palce…

Bronił się przed polityką, ale polityka była wszędzie. W końcu raz, przerażony rzezią, napisał pieśń *Malcziki*, czyli *To, co powinienem powiedzieć* i niespodziewanie ta pieśń stała się hymnem Białych. Kadeci Wrangla szli do ataku, śpiewając:

Nie wiem, po co i komu to było potrzebne,
Kto nie zawahał się wysłać te dzieci
na pewną i bezsensowną śmierć.

Aleksander Wertyński ucieka z Rosji, a z nim jego publiczność: damy dworu i książęta, baronessy, politycy, aktorzy, baletnice, klowni… Przez Ukrainę na Krym. Wertyński ze świtą generała Wrangla odpływa statkiem Wielki Książę Aleksander Michajłowicz do Turcji. To był ostatni statek, który bezpiecznie opuścił Sewastopol. W Stambule kupuje grecki paszport. Z tym paszportem objedzie potem cały świat. Emigranci i uciekinierzy z Rosji są wszędzie, więc ma dla kogo śpiewać.

Berlin, Paryż, Nowy Jork… Na koncercie w Town Hall w pierwszym rzędzie siedzą: Bing Crosby, Siergiej Rachmaninow, Fiodor Szalapin, Marlene Dietrich, Charlie Chaplin… Potem, goniąc rosyjską emigrację, czyli swoją publiczność, dociera do Szanghaju. Szczęśliwe małżeństwo z dziewiętnastoletnią Gruzinką Lidią i dzika tęsknota za Rosją. Zostaje w Chinach osiem lat, pisząc błagalne listy do Stalina i Mołotowa, upokarzając się do granic wytrzymałości: „Drogi towarzyszu Stalin, pozwólcie mi wrócić i zostać prawdziwym radzieckim człowiekiem. Nie mam już nic wspólnego z dekadencją. Przysięgam. Emigracja to straszliwa kara, ale nawet ciężką katorgę skraca się, przecież, czasem za okazaną skruchę i dobre sprawowanie". W końcu Stalin machnął ręką: „Niech sobie ptaszek doćwierka".

W 1943 roku Wertyński przekracza granicę. Wyjechał, mając 30 lat, wraca, mając 54.

Wrócił i dopiero zrozumiał, co to znaczy prawdziwe upokorzenie. Urzędnicy od kultury traktowali go jako niechcianego gościa, a to oni wyznaczali trasy koncertowe – w największe mrozy musiał śpiewać na dalekiej Syberii, w kopalniach, na otwartych ciężarówkach. W największe upały w Kazachstanie i Karagandzie. Zgadzał się na wszystko, w ciągu sześciu lat dał ponad trzy tysiące koncertów. Oczywiście, Wertyński jest w ZSRR legendą, kolejki po bilety na jego koncerty ustawiają się już o czwartej nad ranem. W zimie tłumy ludzi czekają, grzejąc się przy ogniskach. Tyle że to już jest inny świat i inna publiczność. „Ja odrzucam tę rzeczywistość (...) wszystko, co mnie otacza, jest kompletnie nie do przyjęcia. Każdy koncert jest tutaj piekłem. Naród absolutnie niewychowany i straszny. Tak samo łatwo przychodzi mu bohaterstwo, co zbrodnia. (...) Każdy myśli tylko jak napchać swój brzuch i pluje na bliźniego. (...) Czas obudzić się, skończyć z marzeniami i, albo żyć jak oni tutaj żyją, albo zamknąć oczy i umrzeć".

Aleksander po którymś koncercie umiera na atak serca w hotelu Astoria w Leningradzie. Wszystkie gazety milczą.

Ale teraz Władimir gra i śpiewa opowieść Wertyńskiego o *Papudze Flaubert*, która w kąciku powtarza *jamais, jamais, jamais* i płacze po francusku. I tak śpiewa, że płaczą przy barze zamorskie księżniczki, płacze wielki tenisista Marat Safin, który w Samovarze trenuje co wieczór do US Open, które potem wygra. Ocierają łzy dwa stoliki mafiosów z Brighton Beach. A najgłośniej łka słynący z okrucieństwa Godzilla, najwyższy Żyd na świecie, dwa metry i cztery centymetry. Ten, który sprzedawał kolumbijskiej mafii kokainowej rosyjską łódź podwodną i powtarzał, że Ameryka to Disneyland, i bardzo się dziwił, że Mickey Mouse nie jest jeszcze prezydentem.

Płacze sławny poeta Jewgienij Jewtuszenko, ulubieniec władzy sowieckiej, wygłaszający wykłady o Turgieniewie w Queens College, którego nowojorska elita uważa za dysydenta i spotyka się z nim sekretnie, żeby mu, nie daj Boże, nie zaszkodzić. Ma łzy w oczach Henry Kissinger, chociaż nic nie rozumie i z pewnością nie wie, dlaczego Jewtuszenko w akcie dożywotniego, silniejszego od śmierci rosyjskiego braterstwa zrywa z ręki swój zegarek marki Wriemia i wymienia go na wysadzanego brylantami rolexa wzruszonego Sekretarza Stanu. A wszystko to szkicuje sławny rzeźbiarz Nieizwiestny, autor pomnika wódki ozdabiającego główny plac miasteczka Głazow na Uralu, sprzątniętego w 2013 sprzed oczu ludu pracującego w ramach kolejnej wojny z alkoholizmem.

Władimir dalej śpiewa:

„Pamiętam tę noc, Pani płakała, maleńka, z Pani podkrążonych oczu w kieliszek wina spadł diament – łza...".

A Sasza ciągnie opowieść o Nataszy, o tym, jak rano, rozespana, tuliła do niego i uda, i piersi, zapraszając go do swojego gorącego środka, który jest i będzie tylko dla niego i na zawsze. Wtedy ja też płaczę, bo znam te słowa, a potem Władimir patrzy na Jewtuszenkę, którego nie lubi, i dodaje, że ten złodziej przywiózł z Moskwy całą walizkę takich zegarków Wriemia. Zegarki na wymianę.

I tylko żal, że do Samovaru nigdy nie dotarł autor pełnego rozpaczy i dziko śmiesznego poematu o piciu – czyli o podróży z Moskwy do Pietuszek (poematu prozą, do którego nikt się nigdy nie zbliżył i pewnie nie zbliży) – Wieniczka Jerofiejew, którego poznałem podczas pierwszej w życiu podróży z Nowego Jorku do Moskwy w roku tysiąc dziewięćset osiemdziesiątym dziewiątym, na fali odnowy. On już był po ciężkiej operacji, mówił, przykładając do krtani upiorny pistolet, a jego żona co piętnaście minut podsuwała mu pół szklanki koniaku.

Na razie ciągnie trumiennie od dołu

Noc jakby granatowiała, może przez przyczepione do drzew świetlne kwiaty. Tłok coraz większy i chyba bierze mróz, bo dookoła kaszlą, tupią, podnoszą kołnierze i zawijają się jak mogą, a ja razem ze wszystkimi. Śnieg nagle zaczął się robić sypki, twardy i pachniał inaczej. Ale zimno ciągnęło od dołu, od chodnika i jakby jeszcze głębiej, spod ziemi.

Kiedyś kupiłem i chciałem zasadzić pod oknami na Bednarskiej trzy lipy. I jak z nimi przyjechali i zaczęli kopać, to pod trawą był gruz i trzeba było wiercić i walić łomami, żeby się odpowiednia dziura zrobiła. Niby wiedziałem, ale zapomniałem, że całe miasto stoi na gruzach przedwojennego. Taki trochę upiorny przekładaniec. A jak się głęboko wierci, to spod ziemi wyłażą, nie jak w Rzymie dawno zapomniane komnaty i malowidła, tylko hełm, bagnet, pocisk, czasem pordzewiały karabin i jedna albo druga czaszka, albo i rozsypany szkielet, czyli trupy spod ziemi mają do nas blisko.

I oni nie są tak zupełnie umarli, bo raz po raz wyłażą albo je siłą wyciągamy i spod chodnika, i z cmentarzy, żeby im hołd oddać albo jeszcze pośmiertnie przesłuchać, przyjebać i przy ich pomocy żywych dopaść. Tak że są ciągle pożyteczni. Można się nimi i podeprzeć, i własną szlachetność światu głosić. Bo jak słusznie napisał La Rochefoucauld: „Kto szczerze chwali piękne czyny, stwarza sobie niejako w nich udział". Makbet u Szekspira się upierał, zabijając, że tylko umarli nie wracają i się na tym przejechał. Tak samo jak Robespierre – kazał tylko starannie zakopywać i udeptywać, ale go i tak duch Dantona dręczył. Ale Ajschylos już parę tysięcy lat temu, przed wszystkimi filmami i internetem, napisał, że „umarli zabijają żywych".

A na razie ciągnie trumiennie od dołu, a z góry mgła. Może też podniecony, zmieszany z błotem śnieg się odrywa od chodnika, nie może uleżeć w miejscu i się wszystko miesza.

Miłość pani Ali i róże

I tak ta mgła zgęstniała, że nawet jakby jeszcze ciągle stała pani Ala z różami, toby ją było trudno zobaczyć. A zresztą może ciągle stoi, kto to wie. Tak czy inaczej, niektórzy traktowali Alę jak prymitywa przez to, że rozstawiała spuchnięte, omotane pończochami i skarpetami nogi w sznurowanych buciorach bez koloru i robiła to, co robiła, nawet bez kucania. Zresztą kucanie niedużo pomaga, a przyciąga niepotrzebnie uwagę.

Szczerze mówiąc, niby jakie miała inne wyjście? Do upilnowania były dwa blaszane kubły z wodą zapchane różami, a do żadnego kibla w okolicy by jej nie wpuścili. Był niby ten skwerek obok, jeszcze nie stał na nim Bolesław Prus i nie siedział na ławeczce ksiądz poeta Twardowski, odrobiony ze spiżu jak żywy. Za to w nocy za każdym krzakiem chował się milicjant pełen nadziei, że bogaty Niemiec albo Szwed wyjdzie z knajpy po pijanemu, wsiądzie do mercedesa i się go dopadnie, i będzie zarobek.

Ja do pani Ali lubiłem po północy przychodzić z ciekawości życia i z powodu bezsenności. Zresztą spotykałem tam prawie zawsze Drabinę, Patelnię, Szufladę, Czar Starówki albo Paskudę, które się wybierały do nocnego Bristolu do roboty. Przystawaliśmy przy pani Ali, kupowaliśmy po parę drogich, nikomu niepotrzebnych róż, częstowaliśmy ją papierosami. Troszkę też żeby setny raz posłuchać jej miłosnej historii. Niby znaliśmy ją na pamięć, chyba nawet lepiej od niej, bo pani Ala plątała się w szczegółach. Albo zapominała, albo ją dla efektu upiększała, tak że dziewczyny ją raz po raz poprawiały. Często nawet milicjanci wyłazili z krzaków, żeby posłuchać, bo miłosną historię każdy lubi. I nawet jak się na zewnątrz wyśmiewa, to w środku nosi tęsknotę, zwłaszcza że akurat ta się odwołuje do naszej wspólnej narodowej pamięci.

Pani Ala, zwykle po paru sztachach i setce lanej prosto z torebki, zaczynała od Falenicy, w której jako siedemnastoletnia dziewczyna poczuła przypływ kobiecych sił i jak każda dziewica marzyła o uczciwym katolickim ślubie. Z księdzem, organistą, druhnami i białym welonem, grochem i mężczyzną. I akurat się trafił młody Antoni z aptekarskiej rodziny. A aptekarz to jest dobry fach i pewna przyszłość, bo każdy żyjący będzie chciał drogę do piachu odwlec lekarstwami. Antoni miał tylko tę wadę, że się trochę jąkał i go przezywali Antoś-czkawka, ale na jej widok upuszczał przedmioty, czyli był zakochany. Pani Ala nie za bardzo, ale co ona wtedy mogła w tej Falenicy wiedzieć o miłości? Czyli wszystko było dogadane i mimo że czasy były wojenne i niemiecka okupacja, zabrała się z matką do Warszawy po stylową suknię. Znalazły białą, szytą jak na miarę. Matka handryczyła się ze sklepową o cenę, a pani Ala wyszła na ulicę, żeby popatrzeć na wielkie miasto.

I wtedy się w jej życiu zakręciło po raz pierwszy. Bo jak spod ziemi wyrosła buda, przyhamowała obok, spod plandeki wyskoczyło dwóch chamów i ją do środka, a tam już się kuliły dwie zapłakane. Jednym słowem siłowy dojazd do burdelu „tylko dla Niemców".

Najpierw na Kozią, gdzie ją przeszukano i wytłumaczono, że to jest wojenny obyczaj stary jak świat i nie ma co wydziwiać czy grymasić. A potem do najelegantszego hotelu Astoria na Chmielnej, przemianowanego na niemiecki dom publiczny Pod Strażą. Tam lekarz folksdojcz-zdrajca wykłuł jej na brzuchu bez znieczulenia napis „tylko dla oficerów". A tatuaże wtedy na szeroką skalę nie były w modzie. Lały się gorzkie łzy, lała się krew, a oficerowie bębnili jej po tym brzuchu, wznosząc okrzyki, których nie rozumiała, ale mogły być i bluźniercze, i antypolskie. Pani Ala sprawdziła, że na ucieczkę nie było najmniejszej możliwości. Bo grozili śmiercią, więc całkiem poważnie myślała, żeby ze sobą skończyć, co zrobiła inna przymusowa w pokoju obok, a z czego się wyśmiewały dobrowolne z całego piętra. I tylko pewność, że to byłby grzech śmiertelny, ją powstrzymywała. Bo życie dane jest raz na zawsze. Więc jak przepuszczała przez siebie po trzydziestu oficerów dziennie, to się cały czas głośno modliła, o ile mogła, bo oficerowie często używali innych otworów niż te, które były stworzone przez Boga do rodzenia dzieci.

Ta cała opowieść do tego miejsca starczała na jednego papierosa Marlboro i nie była za bardzo ciekawa, ale teraz pani Ala dochodziła do tego szczęśliwego momentu, na który żeśmy wszyscy czekali. Zapalaliśmy drugiego marlboro, a jej spierzchnięta i pobrużdżona twarz się wygładzała, oczy nabierały blasku. Na chwilę przerywała, żeby złapać głębszy oddech, milicjanci, którzy to już znali, zaczynali chichotać, bo do pokoju numer trzydzieści cztery w burdelu Astorii wchodził Rudolf.

Ten Rudolf był jej w opowieści raz blondynem, raz brunetem, czasem uczesany na gładko z przedziałkiem, a czasem mu się jasne loki kręciły. Raz był niewysoki, a kiedy indziej prawie olbrzym. Zresztą Paszcza i Paskuda miały na to wpływ, bo podrzucały swoje ulubione kolory oczu i włosów.

A potem, jak się przepisowo podmyła, wypłukała usta wodą Burowa, przetarła wargi wodą kolońską i na koniec położyła się i pokazała brzuch z tym napisem, to on ani nie zdjął, ani nawet nie rozpiął spodni, tylko odwrócił głowę i zagryzł wargi, które były raz wąskie, a kiedy indziej spuchnięte. A potem spojrzał na nią tak smutno i tak czule, że jej wszystkie włosy stanęły dęba. I te na rękach, i te na nogach, i główne na głowie. A włosy miała wtedy jasne jak żyto, nie to szczurze gniazdo, które teraz nosiła pod chustą. I takie gęste, że fryzjer w Falenicy połamał na nich przedwojenny żelazny grzebień.

I pani Ala, nie zwracając uwagi na milicjantów, którzy teraz zaczęli głośno rechotać, dwa razy szybciej niż przedtem przysięgała, że dla jednej takiej chwili warto jest żyć. I że dla niej właśnie wtedy, a nie w żadnej Falenicy, życie się zaczęło, bo miłość przyszła. I tak nie wiadomo kiedy minęło na tym patrzeniu w oczy i głaskaniu trzydzieści minut przeznaczone dla jednego gościa. I co z tego, że Rudolf musiał ustąpić miejsca, kiedy w czwartek znowu przyszedł i przychodził regularnie dwa razy na tydzień, czasem on kładł jej głowę na kolanach, a czasem ona jemu i czasem się gładzili po włosach, a czasem nie. I albo nic nie mówili, albo mówili w tym samym czasie. I słuchali uważnie i kiwali głowami, chociaż ani ona nic nie rozumiała, ani on. I to była miłość na sto procent. I co z tego, że jak on wychodził, to miała czasem jeszcze ze dwudziestu bębniarzy, ale tylko się uśmiechała i zmieniała im gumki, i pozostawała dziewiczo niewinna. A potem Rudolf wyjechał na front daleki, ale coraz bliższy, a na adres Astorii przysłał wojskową pocztą spod Stalingradu miłosny list, ten, co go do tej pory nosi.

Milicjanci machali rękami, się krzywili z niedowierzaniem i wracali za krzaki, ale dziewczyny słuchały z powagą do końca. No owszem, czasem Paszcza czy Paskuda z zazdrości albo i złości, bo miały akurat gorszy dzień, przypominały pani Ali, że raz się sama wygadała o zarządzeniu Hitlera, że każdy żołnierz i oficer musi się dwa razy w tygodniu meldować w burdelu. No żeby armię przed szeroko rozpanoszonym pedalstwem obronić. Bo Hitler się bał, że z armią złożoną z pederastów nie da rady Rosjanom.

I że Rudolf był na sto procent tajnym pedałem, który się ukrywa i tylko dlatego to głaskanie po włosach bez zdejmowania spodni. Ale pani Ala się tylko śmiała, cała płonęła jak ogień i triumfująco wymachiwała starym, pogniecionym listem.

I tak mijały lata, aż raz w nocy na rogu Karowej zamiast dwóch kubłów stała nyska, ta, co panią Alę zawsze przywoziła i odwoziła. Klapa z tyłu była otwarta i milicjanci układali ciało pani Ali. I potem wrzucili na nią, na prośbę kierowcy, wszystkie róże, tak że spod nich tylko nogi w buciorach wystawały. I wyglądała pięknie. Paskuda i Paszcza smutno kiwały głowami, że lekarz już był, stwierdził atak serca i śmierć na miejscu. A kierowca, który okazał się synem, bardzo się zdziwił, że jego matka znała tyle szanowanych osób i zaprosił na pogrzeb, na którym będzie cała rodzina.

Bo pani Ala, poza mężem i synem, miała jeszcze dwie córki mężatki z dziećmi. A ona sama wyszła za mąż, jak miała siedemnaście lat, za Antoniego aptekarza. I się przez całe życie nie ruszyła z Falenicy. Należała do biblioteki, marzyła o wielkim mieście i dlatego, chociaż to nie było potrzebne, przywoził ją z tymi różami. I ten syn, potem już całkiem nachalnie, przystawiał się do Paskudy.

Antygona i czołgi

W Charkowie też była zima, ale syberyjska. Zawieja „raz zawyje, raz zapłacze, jak dziecko"– jak u Puszkina. Śnieg, mgła, żadne słońce nie wyjrzy zza żadnej chmury. Czuję w płucach lodowate igiełki, chce się przeklinać, czterdzieści kilometrów od miasta marzną rosyjskie czołgi, w autokarze, co nas mija w drodze do teatru, marzną uchodźcy z Donbasu. I paru Czeczenów. Ruscy im spalili domy, zgwałcili żony i córki, a teraz płacą za podkładanie bomb. Żyć trzeba, więc podkładają. Czasem te bomby kogoś zabiją, czasem niekoniecznie, ale strach wywołują zawsze, i zamęt. Rosjanom zależy na Charkowie, cztery i pół miliona mieszkańców, zakłady zbrojeniowe. I Charków się na początku wahał, ale po paru setkach tysięcy uchodźców z Donbasu, Doniecka i Ługańska już nie.

Na ogromnym placu Wolności pusty cokół, a Lenin wywrócony patrzy z ziemi na ogromny, dziwacznej formy budynek Derżpromu. W gmachu telewizji kible w starym stylu, bez sedesów. Prezenterzy i gwiazdy kucają nad dziurą „na narciarza". A w restauracji w Hotelu Artystycznym przystojny młody kelner rusza się z godnością księcia i mówi po angielsku tak pięknie z oksfordzkim akcentem, że czuję, że to ja powinienem go obsługiwać.

Narodowy Teatr imienia Tarasa Szewczenki otoczony Służbą Bezpieczeństwa Ukrainy, bo może jakiś Czeczen z bombą będzie chciał obejrzeć *Antygonę w Nowym Jorku*. Dzień wcześniej dwie bomby wybuchły niedaleko. Dziewięćset miejsc, wszystkie sprzedane. A na widowni głównie kobiety. Ich mężowie i synowie marzną w mundurach naprzeciwko tych czołgów rosyjskich.

Ogrzewanie wyłączone, bo teatr nie ma pieniędzy. A woda za droga. Jedna kobieta siedzi na widowni w kożuchu i tłumaczy, że jest sposób, żeby za wodę nie płacić. To żaden problem, trzeba tylko wieczorem do wanny puścić cieniuteńki strumyczek, tak cienki, żeby zegar wodny nie odnotował, no i żeby się do rana nie przelało. Jej męża akurat zabiła bomba na ulicy, pokazuje karteczkę, którą wyjęła mu z kieszeni. To lista zakupów: masło, chleb, marmolada i przypomnienie o odebraniu prania.

W nowojorskim parku Portorykanka Anita, złodziejaszek Pchełka z Polski i rosyjski Żyd Sasza, opatuleni jak się da, bo zima, i to samo na widowni.

Z tą *Antygoną w Nowym Jorku* jest tak, że w Nowym Jorku, Los Angeles, Paryżu czy Madrycie to ona jest rozumiana bardziej metaforycznie. Jeden krytyk napisał w „New York Timesie”, że problemem tych „byłych ludzi” jest nie tyle brak dachu nad głową, ile stan ducha. Ale im dalej na wschód i im bardziej kurewsko na świecie, tym bardziej historia realnieje.

Bo wiadomo, że odbiór zawsze zależy od tego, kto siedzi na widowni. No i od porozumienia się tych ze sceny z tymi z widowni. A też myślę z zawiścią, skąd w Charkowie tacy aktorzy.

Lot powrotny do Warszawy, przesiadka w Kijowie. Na lotnisku, to może być scena śpiewana. Najpierw chór ukraiński.

Chór: Czas się wlecze, muchy się wloką, bieda się wlecze, nie ma nadziei.

Solista: Autostrada na chuj bez korków.

Dziewczyna (osiemnaście lat na oko, ładna): Nie przeklinać mi tu.

Baba (pod siedemdziesiątkę, rozmodlona): Świat się kończy! Światem rządzą czarty!

Dziewczyna: Skąd tyle chamstwa w ludziach, jak zabijają, to przeklinają, jak gwałcą, przeklinają.

Barczysty (czterdzieści pięć lat, kożuszek, buty na futrze, dżinsy, twarz, z której nic nie można wyczytać, z zawodu ochroniarz): Co ty taka wściekła? Zerżnęli i nie zapłacili?

Zrezygnowany (pięćdziesiąt lat, chudy, łysawy): Ludzi zawsze ciągnęło do światła, a teraz nie mają na żarówkę.

Dziewczyna: Miało być dwóch, przyszło czterech.

Baba: *Matir Boża, o Swiatyj Isuse!*

Dziewczyna: Tyle jest słów do wyboru, a człowiek wybiera tylko te brzydkie. Zbieram na chłopaka. Ruscy go złapali.

Barczysty: Ruscy czy Czeczeńcy?
Dziewczyna: A bo co?
Zrezygnowany: Jak Poroszenko przejął władzę, to w Kijowie było pięć sklepów z jego czekoladą.
Małżeństwo (on czterdzieście lat, ona trzydzieści): Modliliśmy się do wszystkich świętych o dziecko dziesięć lat.
Barczysty: Ruchać się trzeba, a nie modlić.
Małżeństwo: Robiliśmy i to, i tamto.
Zrezygnowany: Obiecał, że jak zostanie prezydentem, to wszystkie swoje sklepy pozamyka.
Baba: *Da priid'et carstwije Twoje.*
Dziewczyna: Co za różnica, Ruscy czy Czeczeni, złapali i tak trzeba wykupić.
Zrezygnowany: A teraz tych jego sklepów z czekoladą więcej niż chorych na AIDS w Afryce.
Barczysty: A co, masz AIDS?
Zrezygnowany: A niby od kogo mogłem złapać, od ciebie?
Barczysty: Różnica jest duża, bo Czeczeni obcinają jaja, a Ruscy tylko katują. Jak Czeczeni, to go odpuść sobie, na co ci facet bez jaj. Ja mam dwa.
Małżeństwo: Aż tu huk, trzask, dzieci lecą z nieba, ale w kawałkach.
Barczysty: Bo żeście się nie dogadali z Bogiem co do szczegółów, ha, ha.
Małżeństwo: Jedna główka nietknięta spadła do ogródka i kawałek ręki z walizeczką czerwoną, też w dobrym stanie.
Barczysty: Bo to z Holandii.

(do żołnierza, chłopaka w mundurze, pobandażowanego): A ty co?
Żołnierz: Odłamek w plecach i tyle.
Barczysty: To do szpitala, gdzie się pchasz do samolotu.
Żołnierz: Tu nie umieją wyjąć, dlatego do Kijowa.
Baba: *Da bud'et wola Twoja jako na niebii tako i na ziemli...*
Dziewczyna: Przyłożę ci, stara, jak ryja nie zamkniesz.
Barczysty: Walnij ją w ten koci łeb.
Żołnierz: Jak mnie Ruscy tym odłamkiem, to chciałem na ciężarówkę do swoich, powiedzieli tak jak ty, gdzie się pchasz, wozimy tylko zabitych. Jak cię zabiją, to się przejedziesz.
Dziewczyna: Miało być w dolarach, zapłacili w hrywnach. Jeszcze nawyzywali od kurew.
Baba: Boś kurwa.
Żołnierz: A zabity ma większe prawa.
Chór: Europa nas nie chce, to może ziemia nas zechce.
Solista: Lot numer dwieście sześćdziesiąt do Kijowa. Szanowni podróżni...

Antygona i szczury

Ten profesor szczurolog podszedł do mnie w Stambule po premierze *Antygony w Nowym Jorku* i powiedział, że ma, a właściwie miał żonę Polkę, a w mojej sztuce brakowało mu szczurów. I zaczął przekonywać, trochę po polsku, że przecież wiem równie dobrze jak on, że człowiek pochodzi od szczura, a szczur od jaszczura, po drodze był jeszcze praszczur. Mrugnął i zachichotał.

To powiedział już w samochodzie, w drodze z teatru do hotelu Divan. Właściwie się do tego samochodu wepchnął. Już była prawie noc, gwiazdy się pochowały, wilgoć z nieba kapała, ale tłum na chodnikach był większy niż teraz na Krakowskim Przedmieściu w karnawale. A jezdnia jeszcze bardziej zapchana, bo ta dzielnica Beyoğlu to nocnego Stambułu samo centrum. I samochód ledwie się wlókł. Do tego latarnie świeciły blado, a z ciemności raz po raz wysuwały się kobiety w chustach, z dziećmi na rękach albo bez, i mężczyźni albo starzy, albo młodzi. Błagalnie postukiwali w szyby i machali syryjskimi paszportami, prosząc o parę groszy na chleb. Nasz teatralny kierowca, z pochodzenia Rosjanin, na zmianę przeklinał, trąbił i groził policją. *Job waszu mat'* – wrzeszczał i tłumaczył, że napchało się tych brudasów czarnożopców, a za nim inni kierowcy przeklinali w różnych językach.

Szczurolog kiwał głową, mamrotał, że wszystko, co najgorsze, zwala się na szczury, od dżumy do kapowania, i że szczurza krzywda go boli.

On w ogóle nie wyglądał na Turka – miał długie, siwe, jedwabiste włosy, niebieskie oczy i bladą cerę. A ta bladość wzięła się stąd, że spędzał dużo czasu w kanałach i akweduktach. I właśnie z tego powodu rzuciła go piękna polska żona z Białegostoku, z którą jednak nadal korespondował i nawet miał jej zdjęcie, ale w domu. Za to ze szczurami wszedł w relację. Znów mrugnął do mnie i powiedział, przekrzykując hałas:

– Jaszczur to przecież ja-szczur, ty-szczur, praszczur.

Ci, co tłoczyli się na jezdni, to była pierwsza fala uciekinierów, zanim się rzeź rozkręciła, a zadrutowanych obozów jeszcze nie było. Dlatego dopchali się albo dowlekli do tej dzielnicy, a nawet do głównego skweru Taksim, gdzie stał mój hotel przy samym parku Gezi. A w parku się nie tak znów dawno odbyła demonstracja przeciw Erdoğanowi. Stambuł to jest duże miasto, prawie piętnaście milionów, czyli coś jak osiem Warszaw, i przyszło protestować ze trzysta tysięcy ludzi, którzy nie byli przyzwyczajeni, że się do nich strzela, i padali na ziemię trochę zdziwieni. A menedżer hotelu Divan pozwolił, żeby rannych albo zabitych układać na podłodze w holu – tak samo, jak się zgodzili w hotelu Ukraina. Dlatego Divan ma opinię hotelu bardzo przyzwoitego. I to się zrobiło całkiem nowe kryterium przyzwoitości – im dalej na wschód, tym bardziej.

Ale na razie szczurolog, co się na dobre przyplątał, a uczył na uniwersytecie czegoś innego, namówił mnie na połażenie po İstiklâl Caddesi, które jest główną dzielnicą w Taksim. I szliśmy trochę w siebie wczepieni, żeby się nie zgubić w tłumie nocnym. Samochody były tu zabronione, więc tłum się rozlał na całą ulicę. Krztusił się od papierosów, ciągle gęstniał i falował, i raz po raz się rozpływał na boki, żeby nie rozdeptać Syryjek, co na środku ulicy przewijały dzieci albo po prostu upadły ze zmęczenia i szykowały się do snu. I wszystko się mieszało. Grały raz te, a raz inne orkiestry, kto chciał, to sobie tańczył, mułła śpiewał. A kelnerzy z krzykiem odciągali ludzi od prostytutek, wachlujących swoje półnagie ciała w oknach burdeli, z których kusił napis „promocja". Fezy i chusty się mieszały z czapeczkami bejsbolowymi, większe uliczki z małymi, koty kręciły się między wystawionymi na ulicę stolikami restauracji i walczyły o to, co upadło na ziemię. A biznesmeni narzekali na brud i że muszą dwa razy dziennie zmieniać koszule, a brud też się podnosił z ulicy, żeby chociaż jako kurz wziąć udział w życiu i zabawie. Tylko parę psów leżało pod ścianami, jakby straciły nadzieję i nie miały sił ani szczekać, ani nawet wyć.

– Przynajmniej się ich nie truje. – Szczurolog uśmiechnął się gorzko. Ja go zresztą niedokładnie słyszałem, bo był wielki hałas. Ale doszło do mnie, że szczury wierzą w szczurzego boga i mają własny dekalog, który się zaczyna od przykazania: Nie zabijaj bez wyraźnej potrzeby. Rządzi nimi szczur Ojczulek, który troszczy się o ubogich i obchodzi rocznicę Wielkiego Wychynięcia, kiedy pierwszy szczur wyjrzał z kanału, stanął słupka i zaczął węszyć. Owszem, zdarzają się szczury niepokorne, ale się je wtedy przenosi do dzielnicy, która się nazywa Płukanka, gdzie się je płucze – w tym momencie nagle przestał chichotać i mi się po cichu przyznał, że kto wie, czy ci uciekinierzy nie podniosą buntu, coś à la Spartakus. Posmutniał, zakręcił się i zniknął, jakby go w ogóle nie było, a dookoła dalej się wszystko mieszało.

Dżerzi w Stambule

Jak wyszła w Stambule moja książka *Good night, Dżerzi*, po konferencji prasowej, na której wbrew sobie przekonywałem Turków, że coś ich może w historii Jerzego Kosińskiego zainteresować, szczurolog znów się pojawił. Rzucił mi się na szyję i szepnął, że na Taksim wybuchła niedawno bomba, więc żebyśmy tej nocy pojechali na most Galata. A ten most jest nad Złotym Rogiem, mętną, pełną ryb i robaków odnogą cieśniny Bosfor, która sobie wpływa do morza Marmara. Bardziej na lewo, już nad samą cieśniną, jest most Bosforski, który po puczu zmienił nazwę, ale ciągle łączy Europę z Azją. A do wzgórz nad zatoką przylepiło się kilka poziomów domków, co może i pamiętają czasy imperium otomańskiego, ale na pewno nie mają nic wspólnego z bizantyjskim pałacem Erdoğana.

– Ten pałac to typowy turecki przerost ambicji. – Szczurolog pokiwał głową i wzruszył ramionami. – W haremach na przykład był taki tłok, że setki kobiet umierały jako dziewice. A Erdoğan też nie musiał wsadzać do więzienia pięćdziesięciu tysięcy ludzi i paru setek dziennikarzy. Zwłaszcza że to już nie robi wrażenia, bo się ludzie przyzwyczaili do aresztowań jak do zmiany pogody.

Usiedliśmy na dolnym poziomie mostu w knajpie, chyba chrześcijańskiej, bo podawali alkohol. Dziesięć kroków dalej już nie podawali. Taka jest odległość od Boga do Allaha. Piliśmy i patrzyliśmy przez pajęczynę z żyłek na zatokę. Bo na poziomie górnym ustawiła się chyba setka wędkarzy i raz po raz zjeżdżały haczyki, na których wiły się robaki, a co jakiś czas jechała w górę ryba. Ruda kotka, pętająca się koło nas, odprowadzała ją smutnym wzrokiem. Zapytałem z uprzejmości o szczury. Ale machnął ręką, że już nie ma na nie czasu, spakował wszystko, co potrzeba, do małej walizeczki i czekał spokojnie, aż go przeniosą do Płukanki. Bo doniósł na niego kolega, profesor humanista z uniwersytetu – tłusty, blady szczur w cylindrze.

Na chwilę zaświecił księżyc, jak trzeba, po turecku powyginany. Znowu zaśpiewał mułła i nastrój się zrobił taki, że zacząłem szczurologowi opowiadać o *becchini* i reinkarnacji. Roześmiał się:

– Dusze, czy jak się je nazywa, są – zwłaszcza w Turcji – niecierpliwe. I nie czekają, aż ciało umrze, tylko się przenoszą za życia. Często po parę razy dziennie. Zwłaszcza jak się jakimś ciałem znudzą albo nabiorą do niego obrzydzenia. Wtedy się po prostu wyprowadzają i tyle. Wywieszają na przykład tabliczkę, że ciało jest *for rent* czy coś tam i szukają ciekawszych obiektów. A na ich miejsce wchodzą inne. Dlatego ktoś potulny nagle zamienia się w bestię, kurwa w świętą albo odwrotnie, tchórz się staje bohaterem itd. Oczywiście czasem się jakaś dusza na siłę wpycha, a tamta stara jeszcze zadowolona i nie chce wyjść. I się wtedy robi coś, co Fiodor Dostojewski uważał za stan normalny.

Kotka nagle skoczyła jak sprężyna, ale chybiła jadącą w górę rybę, najwyżej o centymetr. I teraz wyła ze złości. A z góry buchnął śmiech. Szczurolog pokiwał głową – tu wszyscy o wszystkich wszystko wiedzą. I specjalnie powolutku rybę wciągali, żeby kotkę rozdrażnić. Jest pewien, że Erdoğana też namawiali, żeby już parę lat temu zrobił porządek, ale on się tylko uśmiechał i mówił: „Spokojnie, niech protestują, niech bronią prawa czy demokracji, niech się nadymają. Oni przecież pracują dla nas, sami się odławiają, a my posłuchamy, porobimy zdjęcia, poczekamy, a potem do nich zejdziemy".

Przed nami przeszedł brodaty mężczyzna, prowadząc za ręce dwie dziewczynki. Jedna wyglądała na dwanaście lat, druga była młodsza, najwyżej osiem. Pomachałem do nich, młodsza się uśmiechnęła, a starsza przestraszyła. Zniknęli na schodach prowadzących na górny poziom. A szczurolog pokiwał głową – tyle rzeczy w Stambule jest niejasnych. Bo może ten mężczyzna szedł z córkami do domu, ale może też szedł je sprzedać. Może Erdoğan sam ten pucz wymyślił, a może i nie. A ci dwaj, co siedzą przy stoliku obok, może go za chwilę zamkną, a może trochę później, a na razie zamówią więcej rakii. Ale jedno jest pewne: wiary nie da się podważyć. Bo niby jak ci wszyscy, co się potwornie męczą i żyją żałośnie i beznadziejnie, mieliby przyjąć, że hurysy na nich nie czekają.

Tumiwisizm

Czasem z pisarzem już sławnym Ireneuszem Iredyńskim wpadał do SPATiF-u Andrzej Brycht, czyli zwalisty mistrz Śląska w wadze ciężkiej. Z takim wyglądem jasne, że pisał liryczne wiersze, a prozę dopiero później. Nosił okulary, które zdejmował, kiedy się zanosiło na bójkę, bił się rzadko i krótko, bo miał potworny cios z prawej i nawet Otello go szanował.

Wtedy młodzi i utalentowani lirycy bili się często w knajpach, rzadziej na ulicach. Z tym, że na ulicach trzaskali się głównie ojcowie dzisiejszych kiboli, bo wtedy jeszcze nie było mody na ustawki. Modne było rysowanie kreski na chodniku i kto miał nieszczęście na niej stanąć, dostawał w ryj. Tyle że już się rodził tumiwisizm, ogólne zniechęcenie.

Kiedyś, już po filmie *Rejs*, wracałem z Markiem Piwowskim z jakiegoś spotkania z publicznością. Mijaliśmy ze sześciu facetów siedzących ponuro na murku. I jeden błagał kolegów:

– Chodźcie, najebiemy tych dwóch, no chodźcie!

Ale im się już właśnie nie chciało.

Brycht miał też talent do literatury, czuł język jak mało kto i może przez bliskość Śląska do Niemiec napisał z talentem parę opowiadań, informując

Niemców zachodnich – czyli tych złych – że owszem, może i mają więcej kasy, ale moralnie się do nas nie umywają. Źli Niemcy, którzy jak wiadomo cierpieli na syndrom Lady Makbet, jak to pięknie Witold Gombrowicz nazwał, czyli mycia rąk po tym, co w Polsce wykonali, i ogólnie mieli tęsknoty masochistyczne, tłumaczyli jego opowiadania na niemiecki, wydawali i zapraszali do Monachium. W związku z czym Brycht miał największą kasę z młodych piszących. Gomułka nazwał to – z obrzydzeniem – czarną literaturą. A ci „czarni" pili, byli cyniczni i liryczni na zmianę, źle traktowali kobiety, a potem płakali. A też czasem, padając na kolana, błagali najpiękniejszymi słowami o przebaczenie.

Pamiętam, jak Tadeusz Konwicki, patrząc na śliczną absolwentkę socjologii, która miała romans z Iredyńskim, powiedział z szacunkiem i podziwem:

– Boże, jak ona jest pięknie i równo pobita.

Stosunek władzy do alkoholizmu był wtedy skomplikowany. Oczywiście pili w zasadzie wszyscy. Był alkoholizm nasz – zdrowy, narodowy, komunistyczny, polski – i taki trochę nie nasz, taki właśnie jak w Partumiarni, czy SPATiF-ie. Był też alkoholizm wyraźnie wrogi, opozycyjny, inteligencki, albo lekarza ze szpitala w Kielcach, który zerżnął pacjenta w szpitalu na korytarzu, chociaż ten bronił się, krzyczał i był partyjny.

Do Obór, czyli tak zwanego domu pracy twórczej koło Konstancina, Brycht zajeżdżał zachodnim samochodem i co rano wylewał na siebie flaszkę Yardleya, budząc wściekłe pożądanie pisarek, poetek, sprzątaczek i kucharek. Ja, jako debiutant po *Wirówce nonsensu*, pokornie nosiłem za naprawdę wielkim poetą Staszkiem Grochowiakiem walizeczkę z ułożonymi równo flaszkami koniaku, winiaku, jarzębiaku i soplicy oraz kłaniałem się „czarnym" z szacunkiem, a oni mnie omijali, bo też trenowałem boks.

A Brycht w tym czasie napisał najpiękniejszy tom opowiadań *Suche trawy*, a potem świetną reportażową historyjkę *Relacja* o domu starców inwalidów, którzy z nienawiści pobili się protezami. Nie chciało mu się zmieniać nazwisk i go pensjonariusze podali do sądu. Wtedy szybko zgłosił się do partii. Jak mimo to sprawę przegrał, to się wypisał i powiedział, że taki gang, co swoich nie broni, to on chromoli. Partia się trochę wkurzyła.

Wtedy napisał taki mocno fabularyzowany reportaż, *Raport z Monachium*, gdzie przyłożył i złym Niemcom, i złym Polakom, co robili Wolną Europę i paryską „Kulturę". I kierownictwo partii na nowo go pokochało. Jak jeszcze dołożył Amerykanom w reportażach z Wietnamu, to się ramiona i serca partii szeroko otworzyły.

Tyle że Brycht miał swój knajacki charakter, więc wziął zaliczki na nową powieść ze wszystkich wydawnictw, zapożyczył się u miejscowych badylarzy i prysnął na Zachód. A w „Kulturze" u Jerzego

Giedroycia napisał do swoich partyjnych opiekunów, że ich chromoli.

Tylko że kiepsko to wszystko się dla Brychta skończyło. Pojechał do Kanady, zaczął pisać po zachodniemu i się pogubił. Trochę był kierowcą ciężarówek, a jak się komunizm wywrócił, przyjechał do Polski. Ja akurat też przyjechałem pierwszy raz od emigracji i się spotkaliśmy w barku w hotelu Victoria. I Brycht powiedział, że Zachód też chromoli. Jeszcze go w Polsce ludzie pamiętali, więc chciał otworzyć prywatną szkołę pisania. Chyba nie najlepiej to poszło, bo wrócił do Kanady, a ja do Nowego Jorku.

Niedługo potem ktoś mi powiedział, że zachorował i umarł.

Grochowiak odszedł dużo wcześniej. Marek Hłasko, Zbyszek Cybulski... Przypadek? Jakieś przekleństwo?

Znów bez happy endu

Źle się skończyło też z Irkiem Iredyńskim. Najpierw był jakiś przypadek, niektórzy mówili, że to żaden przypadek, tylko że prowokacja, ale nie wiem. Ja uważam, że to tylko bat, który pogania przeznaczenie i przyśpiesza akcję. Tak czy inaczej, jakaś smutna peerelowska logika albo nieuchronność w tym była. Bo raz z Edkiem Bernsteinem, filmowym reżyserem, z poderwaną dziewiętnastolatką, fanką sztuk Iredyńskiego, i paroma flaszkami poszli do czyjegoś mieszkania; ile wzięli tych flaszek, to trudno powiedzieć...

Pamiętam, że kiedyś Janek Himilsbach i Zdzisio Maklakiewicz szli na jakieś imieniny i się w sklepie długo kłócili, bo Janek chciał kupić dwie butelki, a Zdzisio uważał, że jedna wystarczy. Janek tłumaczył, że może się coś złego przytrafić, mogą się na przykład potknąć czy coś i wtedy jedna może im wypaść i się stłuc, więc dlatego lepiej się zabezpieczyć. W końcu Zdzisio ustąpił i Janek zamówił dwie butelki oranżady i sześć półlitrówek.

Edka B. znałem, bo dużo wcześniej zdawaliśmy razem do Państwowej Wyższej Szkoły Teatralnej na Miodowej. Przeszliśmy obaj pierwszą selekcję i byliśmy na tak zwanym obozie przygotowawczym.

Bernsteinowi poświęcił parę ciepłych słów Marek Hłasko w *Pięknych dwudziestoletnich*, zachwycając się jego urodą, silnym ciosem i miłością do Dostojewskiego. Edek z aktorstwa odpadł od razu po obozie, a na moim braku talentu i cynizmie poznano się dopiero po pierwszym roku.

No więc Irek, ta dziewczyna, fanka jego twórczości, i Edek, który zresztą potem zmienił nazwisko na Żebrowski i nakręcił świetny tragiczny film *Szpital Przemienienia* według scenariusza Michała Komara, poszli na tak zwaną chatę. Następnie, nie zamykając drzwi wejściowych na żadne tam klucze, poradzili dziewczynie, żeby się sama dobrowolnie, bez idiotycznych gier wstępnych i stendhalowskich sentymentalizmów, flaubertowskich namiętności rozebrała, ponieważ obaj się ponad wszystko brzydzą przemocą. A wyjście z tego mieszkania jest albo przez łóżko, albo przez sitko w dnie wanny.

Dziewczyna się przestraszyła, poszła do łazienki i zaczęła się rozbierać, bo traktowała literaturę, więc i przechwałki, poważnie. Potem wyjrzała i zobaczyła, że artyści zapomnieli o niej przejściowo, wypili jeszcze pół i poszli do drugiego pokoju, gdzie wdali się w spór o postać Rogożyna z *Idioty* Dostojewskiego, który twierdził, że ludzie są nie tyle źli, ile leniwi. A ona wtedy złapała swoje ciuchy i w samej bieliźnie wybiegła na podwórze, czego ani pisarz, ani reżyser nie zauważyli w ogóle. Wpadła na ciecia, co znał swoje obowiązki, czyli telefon milicji, na pamięć, i artystów zamknięto.

Potem było tylko gorzej, bo się okazało, że dziewczyna jest krewną jakiegoś pułkownika kontrwywiadu, który poleciał na skargę do generała, a generał do pierwszego sekretarza, a ten słabo znał się na żartach, nienawidził wszelkiej dekadencji i inteligencji, bo nie wierzyła w tekst piosenki, że „po Wiśle kajaki pływają, robotnicy po pracy śpiewają". Podobno nawet na jakimś plenum poskarżył się towarzyszom: „Nasza inteligencja nas zawiodła. Oczywiście nie mam na myśli inteligencji jako pewnej cechy umysłowości, ale inteligencja jako warstwa społeczna".

Wprawdzie kierownicy wydziału kultury i komitet wojewódzki partii próbowali Pierwszego zmiękczyć, słabostki młodych utalentowanych artystów nie były im obce. No trzeba przecież być człowiekiem. Sami wiedzieli, że nie ma nic piękniejszego i jakie to głęboko ludzkie, żeby się uchlać, najebać żonę, dać komuś po mordzie, a jeszcze potem... gdyby się umiało to tak pięknie i smutno opisać... ale tak, żeby łzy poleciały aż do gardła.

Tyle że Pierwszy się zawziął. Poczuł, że jest okazja, żeby dać inteligencji po ryju. Zażądał i procesu, i surowego wyroku za... usiłowanie gwałtu.

Proces był przy drzwiach zamkniętych, ale Janusz Wilhelmi, redaktor warszawskiej „Kultury", załatwił mi wstęp. Ja nie twierdzę, że artyści się zachowali jak członkowie Izby Lordów, ale żadne usiłowanie gwałtu nie wchodziło w rachubę i proces był jednym wielkim kurewskim żartem. Sędziowie byli posłuszni, w PRL-u nie bali się Boga, tylko Gomułki, i skazali

Irka i Edka na trzy lata bezwzględnego więzienia. W celi Edek zachorował na chorobę Buergera i zwolniono go wcześniej. Irek też miał jakiś mały wylew, ale jego nie zwolniono. W grypserze się mówi lekko „rok nie wyrok, dwa lata jak dla brata, a trzy lata po korytarzu przelata". Irek tego tak lekko nie zniósł. Próbowałem coś o tym do „Kultury" warszawskiej napisać, ale Wilhelmi to wyrzucił do kosza, bo sprawie osobiście patronował Pierwszy.

Teraz wszyscy już nie żyją. Mijam Hotel Europejski, po remoncie już prawie gotowy do użytku, a dookoła przeklinają, modlą się, śpiewają, śnieg sypie. Tam w barku ostatni raz, już po więzieniu, widziałem Iredyńskiego. Pił na smutno. Nic nie jadł, więc mu zaproponowałem, żeby piciu nadał charakter głodówki politycznej. Uśmiechnął się, ale blado.

Janusz Wilhelmi to była bardzo ciekawa postać. Kiedyś przyjaciel Witolda Jedlickiego i Jana Józefa Lipskiego. Piekielnie inteligentny cynik. Oczywiście on nie wierzył w to wszystko, co pisał, ale kto wierzył?

Tadeusz Konwicki mi mówił, że jak Chruszczow ogłosił ten sławny referat o zbrodniach Stalina, to on jako młody pisarz naprawdę to przeżywał. Towarzysze z KC klepali go po plecach, zaśmiewając się z jego naiwności, i mówili:

– No, Tadziu, nie żartuj, ty naprawdę wierzyłeś w te wszystkie brednie, cośmy pisali?

Wilhelmi na pewno nie wierzył. A Gomułka i tak go szanował, i mu wybaczał jego inteligencję. Tyle że się nie umiał nauczyć jego nazwiska. Nazywał go towarzyszem Wilhelminim, a o następnym naczelnym „Kultury", Dominiku Horodyńskim, mówił towarzysz Dominiak.

Jezu, jak oni wszyscy szybko odeszli. A jak Irka brała karetka bezpowrotnie w ostatnią drogę do szpitala, to ponoć przemycił ze sobą flaszkę.

Najpóźniej się zawinął Marek Nowakowski, który pisał kiedyś naprawdę świetnie o Benku Kwiaciarzu czy tym starym złodzieju, a potem się kosztem literatury w ideologa prawicy zamienił.

„Śmierci szukasz, idź na cmentarz, tam się chuju opamiętasz"

Janek Himilsbach często powtarzał ten wierszyk. Miał do cmentarzy ciepły stosunek, nie tylko dlatego, że tam kiedyś pracował i często namawiał, żeby „zrobić flaszkę, skoczyć na Powązki, znaleźć jakiś ładnie przystrzyżony grób, usiąść i się napić". Parę razy to ze Zdzisiem Maklakiewiczem, czyli we trójkę, zrobiliśmy. Ale na razie wstydzę się o tym opowiadać, może się później rozkręcę.

Niech mnie wszyscy kochają

Teraz trochę o Elżbiecie Czyżewskiej, bo na lewo za Kopernikiem jest ulica Tamka. W zasadzie dla mnie obojętna, schodzi sobie w dół do Wisły. Owszem, Waldemar Dąbrowski zrobił tam Muzeum Chopina, ale Chopin jest tak ogromny, że przygniata, czasem zniechęca. Przy samej górze Tamki, trzy schodki od ulicy, mieszkała matka Elżbiety – szyła, skracała i piła.

Parę lat temu Daniel Olbrychski dzwonił do zaprzyjaźnionych i zbierał pieniądze na jakiś przyzwoity grób dla Elżbiety, bo miała byle jaki. Co do grobów i ceremonii z tym związanych zdania są podzielone. W filmie *Grek Zorba,* jak umiera kochanka Anthony'ego Quinna, biedna Bubulina, jego szef zaczyna kombinować, co zrobić z pogrzebem. A Quinn patrzy na niego ze zdziwieniem – co za różnica, przecież ona nie żyje.

Tak czy inaczej w końcu Elżbieta jednak specjalnie przyjechała na tę okazję z Nowego Jorku i teraz ma grób jak się należy, a na nim napis-krzyk: „Niech mnie wszyscy kochają", czyli cytat z filmu *Wszystko na sprzedaż*. Na brak miłości to akurat w Polsce Elżbieta nie mogła narzekać.

No i teraz nie skorzystam z dobrej rady mojego przyjaciela z Nowego Jorku, Michała Kotta – syna sławnego szekspirologa i mojego profesora Jana Kotta – który mnie przekonywał, że nie powinienem nic o Elżbiecie pisać, bo ją za dobrze znałem. Jakaś logika w tym jest. Ale mój ojciec też udzielił mi kilku najgorszych rad, jakie dostałem w życiu. Powtarzał: „Nie patrz, jak ja robię, tylko rób, jak ja mówię, bo ja wiem, co ja mówię". Potraktowałem to poważnie i źle na tym wyszedłem, czyli coś jednak napiszę, ale po wierzchu. Może to nie być za bardzo prawdziwe, bo popękane i poobijane. Tak bardzo się znowu od ojca nie różnię.

Jak się z Elką spotkaliśmy pierwszy raz, tośmy mieli po szesnaście lat, co już brzmi śmiesznie, jak na pośmiertne zapiski, bo się oboje dostaliśmy do Wyższej Szkoły Teatralnej na Miodowej, co się teraz słusznie nazywa Akademią.

Ela była blada, przestraszona, króciutko ostrzyżona, biedniutka, w granatowym fartuszku, spod którego nic jeszcze nie wyrastało. Przyjechała z domu dziecka w Konstancinie. Polubiliśmy się na odległość z powodu podobnego poczucia humoru, po czym mnie, jak już pisałem, słusznie wywalono za zupełny brak talentu i cynizm, a na Elżbiecie, nawet w tym fartuszku, się poznano. I dziki sukces już w szkole, a potem w parę lat została taką gwiazdą w teatrze i filmie, jak Marek Hłasko w literaturze.

Czyli Jan Kott poprawiał jej pracę magisterską, a Konstanty Puzyna i Bolesław Michałek – sławni krytycy teatralni – uwielbiali. Owinęła ich wszystkich wokół palca, tak jak Hłasko Andrzejewskiego, Wilka Macha czy Jarosława Iwaszkiewicza, chociaż do żadnego listów miłosnych nie pisała. Jej pierwszy mąż, Jerzy Skolimowski, swój świetny debiut filmowy *Rysopis* w dużej mierze na jej talencie zawiesił. Naród też ją pokochał za biust, nogi, śmieszny uśmiech i że się nie wywyższała, że nie była żadna tam pani, nie udawała hrabiny, tylko była naszą polską Elżbietą. A jeszcze bardziej ją pokochał David Halberstam, korespondent „New York Timesa".

Żeby zrozumieć, co to znaczyło korespondent „New York Timesa", to trzeba było tak jak ja mieszkać w PRL-u w latach sześćdziesiątych. Frustracja, strach, bieda, bezradność i depresja. Mój przyjaciel, aktor Jurek Karaszkiewicz, w SPATIF-ie wypytywał z rozpaczą kolegę, co wcześniej wyemigrował do Stanów Zjednoczonych i przyjechał tylko z wizytą:

– Czy u was w Ameryce też jak się chce namówić dziewczynę, żeby poszła do łóżka, to trzeba się najpierw uchlać, wyrzygać, zesrać i dopiero wtedy jest jakaś nadzieja?

Ameryka to było nieosiągalne i dalekie, gdzieś za oceanem, marzenie wszystkich Polaków, ślepa i beznadziejna miłość.

Już przed wojną Chór Dana śpiewał:

Więc powiedzcie mi panowie,
Niech się raz nareszcie dowiem,
Co to jest to słynne USA.

No i odpowiedź:

To jest Ameryka,
To słynne USA
To jest kochany kraj
Na ziemi raj.

No, czysta magia po prostu.

Tam twa ciocia ma melony,
Tam mieć możesz cztery żony…

Po wojnie też to śpiewano, ale po cichu. Zohydzanie Ameryki nic nie dawało, na pochodach pierwszomajowych skandowano:

Kiedy oni zabijają,
u nas nowe domy stają.

A po powrocie do domu szeptano sławne:

Truman, Truman spuść ta bania,
Bo to nie do wytrzymania.

Albo:

Jedna bomba atomowa
i wrócimy znów do Lwowa.

Że to była miłość nieodwzajemniona, to się najpierw w Teheranie i Jałcie okazało, jak Ameryka nas do spółki z Anglią wyruchały, a prezydent Roosevelt powiedział, że nie będzie z powodu jakiegoś małego kraju szedł na wojnę z wujkiem Joe.

O Jałcie i Teheranie u nas mało kto wtedy wiedział, bo niby skąd. Oficjalnie to było wielkie szczęście i łaskawość wujka Stalina, że wziął nas pod opiekę. A i Wolna Europa nie za bardzo się miała czym chwalić. Po październiku rządził Gomułka i przez krótkie chwile był cień nadziei. I tylko niewielka część skołowanego narodu skandowała:

Wróć Bierucie, wróć Stalinie,
Bo robotnik polski ginie.

Teraz korespondent „New York Timesa" to dziennikarz ważnej gazety i tyle. Ale wtedy on mógł wszystko. Tak żeśmy myśleli, bo mógł napisać i wydrukować na cały świat to, o czym się myślało po ciemku i po cichu, żeby sąsiad nie zakapował. Mógł przypieprzyć Gomułce, a nawet zdenerwować Breżniewa. Świetny rosyjski pisarz, Wiktor Jerofiejew, napisał coś w tym rodzaju, że dla Rosjanina ważniejsza od wolności jest goła baba w łaźni, ale u nas już niekoniecznie. Do tego Halberstam był przystojny, miał metr dziewięćdziesiąt, czarnego mercedesa na zagranicznej rejestracji, mieszkał elegancko w hotelu Zgoda na rogu Kruczej i Chmielnej, co się nazywała Rutkowskiego, a był to wtedy świetny adres.

Więc Elżbieta się zakochała nieprzytomnie i rzuciła Skolimowskiego. Grała wtedy Marilyn Monroe w sztuce Arthura Millera *Po upadku*. Miller przyjechał na premierę i był Elżbietą zachwycony. Dużo, dużo później, w Nowym Jorku, powiedział mi, że Elżbieta się go radziła, czy ma wyjechać, i on ją ze wszystkich sił zniechęcał. A jak Halberstam kolejny raz napisał coś o polskim antysemityzmie, Gomułka się wściekł i kazał wyrzucić go z Polski. Elżbieta wzięła ślub z Żydem i wyjechała. Tego już jej naród nie mógł wybaczyć i w jednej chwili została zdrajczynią ojczyzny.

U nas, jak to u nas, lepsze towarzystwo po wyższych studiach – jak je nazywał Himilsbach – plotkowało, że Elżbieta walczyła z Beatą o Wajdę. On wybrał Beatę, więc Elka uznała, że lepszy od Wajdy może być tylko książę z amerykańskiej bajki i postanowiła przy jego pomocy się na nowojorski szczyt wdrapać.

Ja się temu przyglądałem z daleka aż do marca sześćdziesiątego ósmego roku, kiedy przyjechała zagrać we *Wszystko na sprzedaż*. Był obrzydliwy, koszmarny Marzec, a Elżbieta grała pięknie i przeszła jak huragan przez Warszawę, rozwalając małżeństwa i związki, w tym także mój. Bez wysiłku, bo za nią stała Ameryka, Hollywood, Broadway, Mickey Mouse, Wall Street i marines, i ta bomba atomowa – czyli sobie brała, kogo chciała, a ja, między innymi, jej pasowałem. Czy to była zabawa, czy trochę strach, bo już zaczynała podejrzewać, że wyjechała bez sensu, a w Nowym Jorku miała być głównie bogatą żoną znanego dziennikarza? Zemsta na nim za to, że go pokochała, czy trochę jednak sentymentalizm?

Niby skąd mam wiedzieć. Zresztą dookoła się odbywało takie kurewstwo, że wszystko było nierzeczywiste, wymieszane i unieważnione alkoholem. I czytanie groteskowych marcowych artykułów ze sławnymi „powstaje pytanie za czyje pieniądze" albo „istnieją podejrzenia graniczące z pewnością", i rozpacz, i upokorzenie wyrzucanych z Polski przyjaciół, i uliczne pałowanie, i film Wajdy. Jej wzywanie do pałacu Mostowskich i nocne miłosne telefony od męża z Nowego Jorku, którego Elka, nie przerywając pieszczot, zapewniała o miłości i tęsknocie, i zjazd ZLP ze sławną wypowiedzią Kisiela o „dyktaturze ciemniaków", i jeżdżąca za nami milicyjna warszawa.

Mieszkała w Hotelu Europejskim. Lekarz, któremu obiecała, że mu kupi klinikę na Manhattanie, dyżurował w barku na dole. A kiedy długo od Elżbiety nie wychodziłem, popędził na Kaniowską, gdzie mieszkałem z Bożeną Wahl i zakapował. Jak wróciłem na Żoliborz, przed drzwiami stała, jak w filmach, walizka ze spakowanymi rzeczami, więc wróciłem do Europejskiego.

A na pierwszej stronie „Walki Młodych" ukazał się artykuł jednego z dawniej podlizujących się Elce kolegów, gdzie stało, że „jeżeli nawet Wajda nie mógł znaleźć do filmu lepszej aktorki, to na pewno mógł znaleźć uczciwszą".

Film Wajdy i nasz się skończył. Potem odleciała. Odprowadziliśmy ją z Jurkiem Karaszkiewiczem na lotnisko. Odlot się opóźnił – tak długo robili jej

Huśtawka

Mieszkałem wtedy w East Village i pisałem *Polowanie na karaluchy*. Na jednej z tych powykręcanych i się bez sensu kończących, jakby przez pijanego zaprojektowanych uliczek, między pizzerią, w której łatwiej było kupić kokainę niż pizzę, a sklepem z używanymi ubraniami, spotkałem Zbyszka Rybczyńskiego.

Akurat dostał Oscara za krótki animowany film *Tango* i przyglądał się wystawie najtańszego domu pogrzebowego na Manhattanie. Wynajął studio na Tribece po zachodniej stronie miasta, ale niedaleko, i też nie chciał wracać do Polski w stanie wojennym. Pożartowaliśmy z życia w barze dla homoseksualistów. Opowiedziałem mu ponury dowcip o roztytej kobiecie z ogromnymi, leżącymi na brzuchu piersiami, co stoi przed lustrem i widząc, że mąż się jej z przerażeniem przygląda, mówi do niego z sadystycznym uśmiechem:

– Dobrze ci tak, ty chuju.

I zgodziliśmy się, że dowcipy to jest niedoceniany gatunek literacki, bo się w nich przegląda rzeczywistość jak żywa. Na razie Zbyszek nakręcił jakiś klip i zgłosiła się do niego młodziutka piosenkarka, szukająca pracy, której nie mógł pomóc, a się potem okazało, że to była Madonna.

Zgłosili się też producenci z New Jersey. Dwóch prawników w garniturach od Armaniego, kobieta, której zimny uśmiech budził szacunek, i dwumetrowy czarny koszykarz, była gwiazda NBA, żeby zrobić normalny pełnometrażowy film.

Ja akurat dopiero co wróciłem samochodem z Florydy, gdzie mnie na tydzień na wykłady zaprosił Edward Albee do Atlantic Center for the Arts jako 1734841669 z kolei visiting artist. Jak wracałem, gonił mnie huragan Greta. Nie zdążyłem. Przed samym Nowym Jorkiem nad highwayem zaczęły fruwać najpierw gałęzie, a potem małe drzewka, zrobiło się czarno. Zjechałem do jakiejś knajpy. Tam siedział cały tłum kierowców przeczekujących Gretę. Głównie ci od ogromnych trucków, ale i osobowych. Mężczyźni i kilka kobiet. Pili i opowiadali dowcipy.

Opowiedziałem to Zbyszkowi i pomyśleliśmy, że to jest dobra sytuacja do filmu, na początek. Właśnie huragan, knajpa, opowiadanie dowcipów. No, że bohaterowie tych dowcipów ożywają na ekranie, stają się bohaterami filmowymi małych scenek, które się potem układają w fabularną historię. Czyli ludzie z jednych dowcipów pojawiają się potem w innych i się robi opowieść groteskowa i coś mówiąca o świecie. Groteska, jak wiadomo, to zerwanie więzi między przyczyną a skutkiem, a wszyscy jesteśmy bohaterami dowcipu.

Ja już pisałem w *Z głowy*, jak w czasie wojny i bombardowania młody facet siedzi na klozecie i pociąga za sznurek, i w tym momencie w dom trafia bomba i ten facet na klozecie patrzy z niedowierzaniem na sznurek.

Wymyśliłem ciąg dalszy: on cudem emigruje i przez omyłkę, bo ma coś doręczyć, trafia z kumplem do eleganckiej knajpy paryskiej, w której prezenter ogłasza konkurs z nagrodami dla posiadacza najelegantszych majtek. I kolejno prezenter wyciąga z sali rozbawionych gości, którzy ściągają spodnie i pokazują majtki. Prezenter pyta skąd są, a oni odpowiadają, że z Hiszpanii, Włoch i tak dalej. Pada też na naszego bohatera, który wywołany i zaskoczony, ściąga spodnie i pokazuje brudne, przygnębiające gacie do kolan. A kiedy prezenter pyta go z niesmakiem, skąd pochodzi, kumpel z sali, żeby nie kompromitować Polski, krzyczy: „Władek, powiedz im, że jesteś Ruski".

Potem ten sam biedny emigrant w Paryżu ma wspólną kochankę z bankrutującym producentem prześcieradeł. I postanawia popełnić samobójstwo, skacząc z wieży Eiffla. Jego kochanka opowiada o tym temu od prześcieradeł. I kiedy emigrant wdrapuje się na wieżę, bo winda jest zepsuta, producent rozciąga dookoła wieży ochronną płachtę z prześcieradeł. Skoczek ocalał, prześcieradła stają się hitem, a emigrant supermodelem i tak dalej.

Opowiedzieliśmy to producentom, wpadli w zachwyt. Poprosili, żebyśmy napisali tak zwany treatment, czyli streszczenie filmu na sześć stron. Zrobiliśmy to w tydzień i znów wybuch entuzjazmu i wiadomość, że ich prawnicy już przygotowują kontrakt. Mija tydzień, dwa, miesiąc i nic. Udajemy pełnych godności, więc nie dzwonimy, tylko dolewamy wódki do piwa. Po dwóch miesiącach, przeglądając „New York Post", widzę wielki tytuł: *Schwytano szajkę handlarzy narkotyków*, a pod spodem zdjęcia naszych producentów. Poznałem ich po koszykarzu.

Wracając na chwilę do zerwanej albo i nie więzi między przyczyną a skutkiem, to ja jestem skutkiem kopulacji moich rodziców, Heleny i Jerzego, w mieszkaniu przy ulicy Mokotowskiej w Warszawie, pewnie w styczniu, w roku trzydziestym siódmym, kiedy Hitler już się szykował.

Nie wiem, czy kopulowali w łóżku, czy pod prysznicem i czy skutek spełnił ich oczekiwania. W tej chwili przyczyna leży już w ziemi, a skutek jeszcze się jej czepia i lizie po zaśnieżonym Nowym Świecie.

Śnieg biały jak majtki Calvina Kleina

Z Nowym Światem za Świętokrzyską to akurat poważniejszych związków nie mam. No, samą kawiarnię na rogu pamiętam, bo to było ulubione przez esbeków miejsce namawiania do współpracy i mnie też tam zaproszono na darmową kawę. Dwaj panowie kusili barwnym i pełnym przygód życiem donosiciela, przypominali modne filmy szpiegowskie, ale jak się zorientowali, że szeroko o tym spotkaniu rozpowiedziałem, bo wbiegł do kawiarni mój kolega z polonistyki Wiktor Meller i krzyknął: „Głowa w szponach SB" – to się obrazili i wyszli, bo uznali, że nie jestem godzien.

Ale co tam, ważne, że na chwilę przestało sypać, wylazł księżyc i poświecił oślepiająco, gwiazdy zakręciły się między dachami, a ulica wzięła głęboki oddech. Tyle że nie ma tak dobrze, bo najpierw posypało niedosłyszalnie, a za chwilę nadleciało i powiało od Świętokrzyskiej, ale tak, że zakręciło nami i rzuciło na siebie, i z trzaskiem się zamknęło parę lufcików. To pewnie bracia emeryci przestraszyli się, bo my boimy się wszystkiego.

Tu akurat, wiem, mieszkają dwie staruszki – moje dawne koleżanki, byłe sławne modelki i jeszcze sławniejsze rozpustnice. Ale przegapiły chwilę.

Odłożyły na zakup mieszkania, wytapetowały ściany okładkami magazynów, na których stoją dumnie i patrzą na wszystko z góry. A teraz na sztywnych, wychudzonych nogach, które kiedyś budziły wściekłe pożądanie, krążą między oknem i telewizorem. Żyją z rent i wspomnień, i mogą liczyć tylko na pieszczoty ślepej jamniczki. Palą papierosy, siedzą w oknach i trochę się boją, a jeszcze bardziej wstydzą, bo wiedzą, że żyją za długo. Blokują mieszkanie w dobrym punkcie i są na utrzymaniu suwerena, zwłaszcza że rozchodzą się alarmujące wieści, że Polacy żyją coraz dłużej kosztem nowych narodowych dzieci. Więc lepiej o sobie nie przypominać i w karnawał te okna zamykać po cichu.

A tu znów ściana śniegu czysta i biała, jak rozumny wybór tłumu, jak suknia Marleny Dietrich, którą zobaczyłem przerzuconą przez fotel w jej mieszkaniu na Avenue Montaigne, gdzie mnie kiedyś zabrał jej sąsiad i przyjaciel, reżyser Pierre Grimblat. Suknia była biała, ale z paroma pieprzykami, udawała ciało młode i w nią się, jak w skórę węża, staruszka wpychała.

A śnieg sypał biały, bielusieńki jak robak, raczej glista, którą zapamiętałem na całe życie, jak wyłaziła z oczodołów mojego dziadka Walerego Głowackiego. Zaraz po wojnie poszedłem z rodzicami na cmentarz ewangelicko-augsburski. A że złodzieje porozwalali co ciekawsze grobowce, pozbawiając kościotrupy niepotrzebnych ozdób, po raz pierwszy miałem okazję poznać ojca mojego ojca.

I za chwilę wszystko się zamazało w bieli najbielszej ze wszystkich bieli, jak legendarne majtki Calvina Kleina z królewskiej bawełny. Majtki magiczne, o których pisali krytycy po pierwszym pokazie, że na zawsze wyzwoliły męskie pośladki z anonimowości, że są porażająco uniwersalne, że można je włożyć i na pierwszą romantyczną randkę z ukochaną, i zaprezentować grupie kolegów, z którymi wspólnie wspinasz się po drabinie korporacyjnej kariery. Niezwykłe majtki, nad którymi Calvin Klein pracował latami, kto wie, może szperając w szafach maharadżów, rosyjskich aparatczyków i włoskich arystokratów, podglądając majtki suszące się na sznurach w Neapolu i nowojorskim Harlemie.

I te majtki prezentowało teraz na pokazie w Nowym Jorku siedmiu pięknych, złotowłosych modeli o ciałach jakby wyrzeźbionych przez Fidiasza. Nagich, poza tymi właśnie majtkami, ze wzrokiem wbitym gdzieś w niebo, ściskających w dłoniach płonące pochodnie. To mógłby być kadr ze sławnego filmu Leni Riefenstahl o zjeździe nazistów w Monachium.

I ta owacja długo niemilknąca, krytyków i fotoreporterów. A kiedy te majtki zawisły na balkonach na Times Square, jakiś krytyk napisał, że to nowa Kaplica Sykstyńska XX wieku.

Salvadore Dali już wcześniej – przed majtkami – powiedział, że największym artystą XX wieku jest Yves Saint Laurent. A ja już byłem pewien, że żeby pokazać obłęd tego strasznego i zdumiewającego wieku XX, trzeba bohaterem książki, która się będzie nazywać *Ostatni cieć,* zrobić super designera miliardera. Uznanego za największego geniusza stulecia, który już jako dziecko wycinał z legendarnej kolekcji malarskiej ojca fragmenciki obrazów Leonarda, Velázqueza czy Renoira i szył z nich zachwycające sukienki. Później na podziemnym wielogodzinnym pokazie mody w okupowanym przez Niemców Paryżu zaprezentował swoją kolekcję legendarną – cywilny uniform dla młodego bojownika o wolność. Czarny beret, apaszka, jasny prochowiec, buty na miękkiej podeszwie. Dumne wyzwanie rzucone w twarz hitlerowskim designerom. Strój, który przesądził o wyniku drugiej wojny światowej. A potem robił *designing* herosów, orgazmu i tak dalej.

Kolejna katastrofa filmowa

Znów naradziłem się ze Zbyszkiem Rybczyńskim i zaczęliśmy najpierw pisać scenariusz. Książkę odłożyłem na później. To miała być historia pewnego desi-gnera, syna nieślubnego i dziedzica Obywatela Kane'a ze sławnego filmu Orsona Wellesa. Pracowaliśmy po dwanaście godzin dziennie, przychodziłem do Zbyszka, kiedy było jeszcze ciemno, a wychodziłem już po zmroku. Zanim się przeprowadziłem z żoną i córką na dół Manhattanu, mieszkałem na samej górze, przy 196 Ulicy, i przez okno codziennie patrzyłem na Cloisters, czyli sprowadzony w kawałkach z Francji i zmontowany na miejscu średniowieczny klasztor.

Więc na pustyni w Teksasie zbudowany jest zamek, który jest kombinacją najsławniejszych budowli z całego świata. Pędzi po nim nowojorski subway, przejeżdżając przez Partenon, przecinając plac Świętego Marka, mijając McDonalda, a w tymże zamku, w stumetrowej komnacie na łożu gigancie umiera właściciel zamku i twórca – designer, największy geniusz wszech czasów. Nad jego łożem pochyla się las mikrofonów i kamer telewizji, w strasznej ciszy słychać tylko szturchańce szefa bodyguardów. Cały świat czeka na ostatnie słowa geniusza, który wreszcie szepcze coś, co niektórzy zrozumieli jako *fuck*, a inni jako *God bless America*.

Potem pogrzeb, który zgodnie z życzeniem designera odbywa się w okrążającej Ziemię na wieczność rakiecie kosmicznej naszpikowanej kamerami, czyli transmisja na żywo. Ale staje się coś niedobrego, bo trumna się odrywa od katafalku i obija o ściany rakiety. Na oczach miliardów widzów trup geniusza z niej wypada i wraz z trumną zaczyna lewitować, a transmisja się urywa.

No i scenariusz kupiła włoska telewizja RAI, potem odkupił ją producent Felliniego, Franco Cristaldi. I miała to być największa produkcja europejska, kiedy nagle i niespodziewanie Cristaldi umarł na atak serca i wszystko się zjebało. No to została mi tylko powieść, która kończy się zagładą Nowego Jorku, a wyszła w momencie, kiedy Al-Kaida uderzyła w dwie wieże.

Jak każdy człowiek przyzwoity, ludzi przegranych nie lubię wprost wyjątkowo, a dobroci to już mi nikt zarzucić nie może, poza wróbelkami. A zapisuję to wszystko naumyślnie z nadzieją, że wywołam u czytających poczucie nie żeby zaraz zrozumienia, ale wyższości. To już coś, bo takie poczucie, że się jest lepszym, pomaga, daje sporo radości i nadaje sens życiu. No nie aż tak jak zemsta, chęć odwetu, nienawiść, bo one to już bardzo pomagają. I człowiek nawet nie zauważy, jak to życie przyjemnie i szybko przeleciało. No, na przykład kraj złożony z nienawistników to już jest jakaś wartość, a z kochających to nie daj Panie Boże.

Dziwny sen

Leżałem na żelaznym łóżku zupełnie nagi. Nade mną się pochylał chirurg chyba, bo na twarzy miał maseczkę białą i bez żadnych ozdób, a w dłoni lancet. Tuż za jego plecami zaciągał się papierosami tłum pielęgniarek i sprzątaczek, młodych i starych. Chichotały i wyzłośliwiały się na temat mojej mizernej, pokurczonej męskości. Chciałem się zasłonić, ale jak to we śnie, nie dawałem rady.

– Spokojnie – mruknął ten chyba chirurg. – Już po wszystkim, co to pana obchodzi.

– No wie pan, jednak. A poza tym o co w ogóle chodzi? – krzyknąłem, ale wyszło jakoś cienko.

– Nic takiego. Pan umarł, muszę zobaczyć, co pan ma w środku. Takie przepisy.

– Ale ja żyję! – Spróbowałem się poruszyć.

Pokręcił głową i chyba się uśmiechnął. W każdym razie pielęgniarki i sprzątaczki tłoczyły się coraz bliżej, coraz bardziej rozbawione.

– Pan się nie boi, nie będzie bolało.

Nachylił się nade mną. Mimo maseczki poczułem od niego zapach alkoholu.

– Pan pił!

Wzruszył ramionami i zaczął ciąć, a potem zakładać haki. Rzeczywiście nie bolało, ale widok przyjemny nie był. Z mojego brzucha wyjrzał duży, blady i łysy łeb. Na chwilę się schował, a potem całkiem wylazł, przymocowany do jakiegoś powykręcanego tułowia.

– Wróć Bierucie, wróć Stalinie, bo robotnik polski ginie – zaskrzeczał. Skoczył na podłogę, stęknął i zaczął rozcierać nogi. A trwało to długo, bo miał cztery.

Za nim wygramolił się młody, wesoły, z błyszczącymi od pomady wygolonymi na skroniach włosami, uczesanymi z równym przedziałkiem. Zeskoczył na podłogę.

– Dziś są Żydów imieniny, niech się palą skurwysyny! – wrzasnął, przetarł rękawem buty i poprawił garnitur.

A za nim zaczął wyłazić tanecznym krokiem cały tłum imprezowiczów. Z przodu pchali się, popierdując, starzy i bladzi, powłóczący nogami trzema albo tylko dwiema, a za nimi prężyli muskuły młodzi. Niektórzy pozlepiani plecami, ale się od siebie ze śmiechem i wesołymi mlaśnięciami odklejali.

– Niech się plan Marshalla schowa, na nic bomba atomowa! – wrzasnęły cztery łyse bladaczki.

– Islamista brudna kurwa, nam Polakom nie dorówna! – odkrzyknęli radośnie młodzi.

– W odpowiedzi na bombowce budujemy szybkościowce!

– Śpieszmy się kochać ludzi, tak szybko odchodzą. Poloneza czas zacząć!

– Jebać Araba, jebać Murzyna, Legia Warszawa biała drużyna!

Wszystkie strony przekrzykiwały się i ustawiały na podłodze w coś w rodzaju pochodu. Pielęgniarki i sprzątaczki, piszcząc, wycofywały się powoli pod ścianę.

– Boją się, bo to jest zaraźliwe – wyjaśnił chyba chirurg.

– Cała Polska śpiewa z nami, wypierdalać z uchodźcami!

– Andrzej Duda robi cuda!

– Jarosław, Polskę zbaw!

– Ty się matko nie niepokój, bo my wywalczymy pokój!

– Płacze Anglia, płacze Francja, tak się kończy tolerancja!

– Kiedy oni zabijają, u nas nowe domy stają!

Lazły, lazły i wrzeszczały.

– Jezu, ale się pan nachapał. – Chyba chirurg pokręcił głową z rodzajem uznania.

– To nie moje! – zawyłem.

– A czyje? – Zachichotał.

Akurat z brzucha wylatywał nietoperz z twarzą dziecka.

– Żydzi, zwróćcie pieniądze za gaz! – zapiszczał, a za nim wygramoliło się dziecko z twarzą nietoperza.

– Przez oświatę i kulturę bikiniarzom damy w skórę – wyrecytowało.

Tymczasem pochód już się uformował, pielęgniarki i sprzątaczki wymiotło.

– A nie ma czegoś o liście biskupów polskich do niemieckich?

– Nie widzę.

– A o polskim papieżu?

Pokręcił głową.

– Niech mnie pan szybko zaszyje – poprosiłem.

– Nie mogę, jeszcze idą.

EPILOG

Zuza Głowacka

Siedzę w ogródku na Saskiej Kępie, a po leżaku spaceruje kulawy pająk. Mój rudy kot poluje na srokę, która poluje na ślimaka, który wyjada mi bazylię. Mój brązowy pies Luna podaje piłkę i patrzy na mnie z żalem, desperacją i wściekłością. Pewnie dlatego, że siedzę na ukochanym, poplamionym espresso leżaku Taty, z którego zawsze rzucał jej piłkę. To wszystko obserwuje szara kotka z dachu sąsiadów, która wychodzi przez okno na poddaszu – niby wolność, ale jednak nie, i zaraz dach zrobi się gorący.

Tata Janusz miał obsesję na punkcie wolności. Zawsze siadał blisko wyjścia – w teatrze, w restauracji, u dentysty, w samolocie. Żył, jak chciał, i trochę się bał. Głównie biurokracji, chorób, snu i niemowląt. Snu się bał, bo miał z nim kosę – chociaż to strata czasu i minišmierć, to jednak potrzebny do życia, więc dlaczego nie daje się złapać? A niemowlęta, jak wiadomo, są upierdliwe i nic ciekawego nie mają do powiedzenia.

Za to zwierzętom wybaczał wszystko. Nawet kiedy Mama Ewa nie wpuściła do domu *building exterminator*, „bo to rakotwórcza trucizna", i wszystkie karaluchy z budynku znalazły azyl w naszym nowojorskim mieszkaniu. Tata spojrzał na czarno-brązową burzę kłębiącą się na podłodze, wzruszył ramionami i powiedział: „Każdy ma prawo do ucieczki". Niestety, to prawo im szybko zabrano i karaluchy zostały upolowane. Ale nie do końca.

Po premierze *Hunting Cockroaches* w Stanach Janusz dostał list gratulacyjny, z którego wypadły dziesiątki przerażająco prawdziwych gumowych karaluchów. Potem co chwilę przyjeżdżały do nas prezentowe karaluchy w różnych wymiarach i formach. Te małe gumowe były wyjątkowo popularne, ale były też futrzane, haftowane na ręcznikach i poszewkach, drukowane na plakatach i podkoszulkach. Do dziś je mam.

Raz zaprosiłam trochę miłą i bardzo bogatą Lily, koleżankę z klasy, do nas i kiedy weszłyśmy do sypialni, wybiegł spod kaloryfera czarno-biały szczur z gumowym karaluchem w pysku. Lily krzyknęła i uciekła. Pobiegłam za nią, tłumacząc, że szczur, a właściwie szczurzyca, to nie jakaś dzika, tylko nasza domowniczka Weronika, a karaluch wprawdzie też nasz, ale nieprawdziwy. Lily była dobrze wychowana i powiedziała, że rozumie, ale w przyszłości wolałaby się spotykać u niej na 5th Avenue, bo jej gosposia Zosia świetnie gotuje.

Szczurzyca Weronika mieszkała w klatce – w nocy i kiedy byłam w szkole. Resztę czasu spędzała na wolności, biegając po sypialni. Z sypialni nie mogła wybiec, bo poza nią czaił się biały kot, za to wygryzła sobie tunel w ścianie za kaloryferem. I to był początek pięknej przyjaźni. Ten tunel tak wzruszył Tatę, że się zaangażował w Weroniki walkę o wolność i zaczął ją sam wypuszczać z klatki. Przynosił marchewki, orzeszki, ogórki, a na deser lody waniliowe. Zawsze wybiegała spod kaloryfera, żeby go przywitać, zawsze z czymś w pysku – plastikową różą, kawałkiem wygryzionej ściany, ukradzioną skarpetką, szczotką, zeszytem albo właśnie gumowym karaluchem.

Kiedy Weronika zachorowała na raka i już nie miała siły na samodzielne spacery po tunelu, Tata brał ją na ramię i nosił po mieszkaniu. Przez lata wspominał ze smutkiem, że kiedy pod koniec już nie jadła, to nadal zlizywała mu lody z palca.

Została nielegalnie pochowana w Riverside Park, w grobie zaznaczonym dwoma kamieniami, pod starym dębem. Była noc. Tata kopał grób łyżką do sałaty, Mama trzymała latarkę, a ja płakałam. Potem się śmiałam, bo Tata powiedział, że zaraz nas aresztują i deportują. Po latach walki o przetrwanie w Ameryce zostaniemy pokonani w parku na szczurzym pogrzebie. Wprawdzie z widokiem na rzekę Hudson, czyli ładnie i w klimacie Singera, no ale jednak. Nieważne, że już mieliśmy amerykańskie paszporty – paranoja imigranta zostaje na zawsze. Ale sztuka też zostaje na zawsze i Antygona (ta Sofoklesa i ta z Nowego Jorku) nauczyła nas, że każda paranoja i każde ryzyko jest warte godnego pochowania.

Do królestwa Antygony II, czyli do Tompkins Square Park chodziłam z Tatą na spacery. To były lata 80., więc East Village, szczególnie Alphabet City, wyglądało inaczej. Burdele zamiast jogi, bieda beznadziejna, nie ironicznie modna; porozrzucane strzykawki nie były ekspozycją artystyczną, AIDS był wyrokiem śmierci, a na ławkach ludzie nie medytowali, tylko mieszkali i umierali.

Byłam za mała, żeby się oficjalnie angażować w parkowe życie towarzyskie, a na placu zabaw parkowicze zbudowali szmaciano-gazetowe miasteczko, zabierałam więc ze sobą własne zabawki – wrotki, kredki, piłkę do koszykówki. Tata brał zeszyt i pióro, a dla kolegów i koleżanek pakował kanapki, pierogi i zupę, szczotki, koszulki, skarpetki i czasami coś ekstra. Tym razem to był długi, ciemny płaszcz.

Płaszcz został kupiony w outlecie Gabay's na 1st Avenue. Był dla nas drogi, ale byłby droższy, gdyby miał metkę z nazwą projektanta albo przynajmniej z opisem materiału. Na szczęście Mama miała zapałki – po kryjomu w sklepie podpaliła nitkę z płaszcza i po zapachu stwierdziła, że jest chyba kaszmirowy, a na pewno wełniany. Przez wiele lat to był ukochany płaszcz Taty. Najpierw go nosił, później przykrywaliśmy się nim na kanapie, czytając albo oglądając filmy, aż nadszedł czas na nowego właściciela. Wszyscy wiedzieliśmy, że trafi do kolegów w parku.

Kolegów było sporo, ale pamiętam tylko Pchełkę i Bizona. Bizon był duży i wyglądał jak Rasputin. Pchełka był mały i dzięki niemu nauczyłam się słowa „pchełka". *Flea* po angielsku znałam ze szkoły, bo pomyliłam z *flee* i nauczycielka się śmiała, że znam słowo na ucieczkę, a nie na pchłę. W każdym razie prawdziwy Pchełka, tak jak jego postać w *Antygonie,* miał padaczkę, dużo do powiedzenia, dużo marzeń i tego dnia dostał duży płaszcz, który szybko schował pod ławkę, żeby nikt go nie ukradł.

Rzucałam piłkę do zardzewiałego kosza i karmiłam ptaki kukurydzianymi czipsami, kiedy dołączył do obiadu gołąb z nogami ciasno związanymi sznurkiem. Nie mógł chodzić, więc histerycznie skakał, a inne ptaki wszystko zjadały, zanim on zdążył doskoczyć. Latać mógł, ale krzywo i krótko. Nie pamiętam dokładnie, jak to się stało, ale parę sekund później rozpoczęła się akcja, żeby sznurek podciąć i gołębia uwolnić. Najpierw od polowania gołymi rękami, później albo Tata, albo Pchełka, albo Bizon przybiegł z płaszczem i zaczął go zarzucać jak siatko-pułapką, wyglądało to, jak olbrzymi ptak spadający z nieba. Gołąb został złapany i uwolniony, mam nadzieję, że na zawsze.

Janusz kupił nowy płaszcz, też w Gabay's, tym razem z metką. Płaszcz Pchełki był noszony regularnie, z dumą i chowany dobrze, ale w końcu został ukradziony, co Tata bardzo przeżywał. Nie rozumiałam do końca dlaczego, bo nam cały czas coś kradli. Telewizor z mieszkania, rowery z piwnicy, radio i lusterko z samochodu, czajnik z bagażnika, samochód…

Zrozumiałam trochę lepiej, kiedy skończyłam jedenaście i pół roku i Tata zaczął ze mną rozmawiać o literaturze. Kiedy zaczęłam narzekać na fałsz i bezsens świata i szkoły, podłożył mi *Buszującego w zbożu* Salingera. W odpowiedzi na moje sensowne i bezsensowne strachy i obsesje kupił mi *Notatki z podziemia* Dostojewskiego.

W końcu dał mi *Płaszcz* Gogola.

Przeczytałam. Jeszcze nie czułam klimatu niewdzięcznej ciężkiej pracy, nie rozumiałam absurdu biurokracji, ale coś już wiedziałam o biedzie, wstydzie, marzeniach i kradzieżach. Teraz wiem o tym więcej i zastanawiam się, czy ten płaszcz nie był ważniejszy dla Taty niż dla Pchełki. A tak w ogóle to powinien być najważniejszy dla gołębia, który nawet za uwolnienie nie podziękował.

Janusza zawsze ciągnęło do więźniów – fizycznych, psychicznych i metaforycznych – do ludzi wykluczonych, zwariowanych, pokaleczonych. Mało czasu spędzał z ludźmi normalnymi, bo zawsze wiedział, co powiedzą. Lubił być zaskakiwany. Lubił obserwować, słuchać i się uczyć.

Może dlatego polubił Siergieja, którego mało kto tolerował, bo był arogancki i humorzasty. Siergiej się znalazł w moim życiu trochę przez przypadek. Był mały i wydawał się zabawny, machnął do mnie i kosztował 9 dolarów, więc też machnęłam, kupiłam go i zawiozłam do akademika. Był na bardzo ścisłej diecie – potrzebował perfekcyjnie wymierzonych proporcji wapna i fosforu. Kupowałam mu żółte marchewki, kapustę pastewną, fioletowy jarmuż, a dla siebie czerwone pomidory i instant ramen o smaku kurczaka sriracha.

Byłam przekonana, że Siergiej to miniiguana, dopóki nie zaczął rosnąć w przerażającym tempie. Wróciłam do sklepu zoologicznego i delikatnie zapytałam, jak długi będzie i ile czasu będzie żył. Pamiętam kamienną minę sprzedawcy, kiedy rzeczowo odpowiedział: „Od jednego do dwóch metrów, do dwudziestu pięciu lat".

Po studiach chwilowo wprowadziłam się z powrotem do rodziców, którzy nic nie wiedzieli o Siergieju. Zamieszkałam w malutkiej sypialni z nieużywaną miniłazienką, do której w tajemnicy wprowadziłam Siergieja, zamieniając ją za pomocą gałęzi z parku w dżunglę. Tata szybko go zauważył i wybuchnął śmiechem. Mama zauważyła trochę później i zapytała tylko, dlaczego nie kupiłam czegoś bardziej praktycznego.

Chociaż był zdrowy, zimny, bez ogłady towarzyskiej, z pazurami ostrzejszymi i ogonem cięższym od Weroniki, którego używał jako broni, waląc nim, kiedy coś mu przeszkadzało – Tata i tak brał Siergieja na ramię i spacerował po mieszkaniu. Karmił go jarmużem. Wsadzał na palmę w salonie, żeby poczuł klimat swoich przodków. Siergiej trochę Januszowi przypominał Guru, żółwia z dzieciństwa, podobne nosy i oczy, ale Guru był delikatny i kulturalny, a Siergiej może piękny i egzotyczny, ale jednak żul.

Siedzę znów w ogródku na Saskiej Kępie. Na leżaku obok leży Bruno, czyli chihuahua Oleny i Janusza. Bruno kiedyś miał na imię Emanuel Valeri Couleurs de ma vie. Tak jak jego ojciec, Helmiaisen Raffaello, mieszkający w Finlandii, i matka, Madame Caletto, Emanuel był psem pokazowym, czempionem piękności. Został zwolniony z pracy z powodu melancholijnego usposobienia i braku entuzjazmu w trakcie zawodów. Dzięki temu został Brunonem Leonenko-Głowackim.

Lipiec 2017. Dzwoni komórka. „Tatajanusz" wyskakuje na ekranie. Po ciszy poznaję, że sytuacja jest dramatyczna. Tata bierze głęboki oddech i mówi;

– Bruno znów ma depresję. Śpi cały czas. Nic nie je. Zbladł. Przyjeżdżamy.

Chodzi o to, że Bruno potrzebuje stada, więc Janusz go przywozi na Saską Kępę, żeby mój piłkoholik pies, czyli brązowa boston terrierka Luna, urodzona w Kanadzie, z mikroczipem amerykańskim i paszportem polsko-europejskim, przypominała Brunonowi, że życie jest piękne i jedzenie też. Tata przyjeżdżał też kupić biały ser dla wróbli przy ulicy Niekłańskiej i żeby coś zjeść, bo podobnie jak Bruno nie lubił jeść sam. I oczywiście na espresso, które mój Michał robi w przerażającej złotej maszynie z orłem na czubie.

Wszystkie nasze rozmowy były o pisaniu. Ostatnio mówił tylko o swojej, czyli o tej, książce. Głównie rozmawialiśmy o końcu. Skoro nie zdążył końca napisać, to opowiem, jak to miało (mniej więcej) wyglądać.

Otóż całą bezsenną noc Janusz spędza, chodząc razem z tłumem. W pewnym momencie gdzieś na Nowym Świecie do tłumu dołączają postacie z jego sztuk. Pchełka i Anita z *Antygony*, Janek i Anka z *Polowania na karaluchy*, Tania, Wiera i Katia z *Czwartej siostry*, Kopciuch.

Nad ranem dochodzi do placu Trzech Krzyży i wchodzi do kościoła na pogrzeb, nadal nie pamiętając, czyj to pogrzeb i co ma na nim powiedzieć. W kościele widzi same znajome twarze. Z pierwszego rzędu patrzą z grzecznym wyrzutem i jeden ze znajomych mówi: „Janku, przecież ty się nigdy nie spóźniasz, a dziś musieliśmy na ciebie tak długo czekać". Prowadzący pcha go do przodu, więc idzie do ołtarza, żeby coś powiedzieć, ale tamten kieruje go w drugą stronę, czyli do trumny, która jest otwarta i pusta. Janusz stoi nad nią, prowadzący pokazuje palcem do środka, więc wstawia jedną nogę, później drugą, a prowadzący prosi, żeby się pospieszył, bo zaraz następna ceremonia.

A potem Janusz znajduje się przy bramie do nieba. I tam stoją w rzędzie wszystkie zwierzęta, które spotkał w życiu, i to one, według indiańskiej legendy, decydują o jego losie.

Od najmniejszego karalucha do szczura, iguany, gołębia, wróbelka. Stoją wszystkie koty i psy – jego własne i spotkane towarzysko, włącznie z setkami uratowanych przez moją matkę chrzestną Bożenę Wahl, która zresztą przed chwilą zadzwoniła z informacją, że postanowiła zapisać mi w testamencie swoje psy, żeby moje życie nabrało sensu, ale broń Boże nie wszystkie – tylko sześćdziesiąt.

Nowy Jork. 18 sierpnia 2017. Wieczór. Idę na spacer z Luną do Riverside Park. Przechodzę obok grobu szczurzycy Weroniki, mijam drzewo, którego gałęzie były ulubioną dżunglą Siergieja. Idziemy w stronę

Hudsonu, jak zawsze tą samą trasą. I nagle coś się nie zgadza. Moja ulubiona ławka z widokiem na rzekę cała drży. Podchodzę bliżej i widzę, że siedzą na niej tysiące wróbli. Te, które się nie zmieściły na ławce, usadowiły się na ścieżce i trawniku. I jest tak, jakby ktoś zrzucił magiczny dywan, który niedbale spadł na ziemię. Muszę to nakręcić i wysłać Tacie. Wyciągam komórkę. Zastanawiam się, ile białego sera Tata by potrzebował, gdyby ten latający dywan wylądował na parapecie na Bednarskiej. Nakręcam wróble komórką i planuję wysłać Januszowi film następnego dnia. Parę godzin później dostaję telefon, że Tata odszedł.

Akurat stałam pod obrazem Bożeny Wahl, na którym diabelski ptak przykrywa bladą kobietę skrzydłami i przy okazji dziobie ją w głowę, na co ona nie reaguje. Przez następnych parę dni czułam się jak ta kobieta.

Wróciłam do Warszawy. Metaforyczny ptak dziobał nie tylko w głowę, ale też w oczy, w brzuch i serce. Wychodzę z domu. Na klatce spotykam sąsiada, kulturalnego starszego pana. Ma na sobie długi płaszcz, podobny do tego, który ukradli Pchełce, tylko jaśniejszy i w lepszym stanie. Na głowie elegancki kapelusz, który na mój widok zdejmuje, składa kondolencje, mówiąc ze smutną i zmęczoną miną, że niestety wszystkich nas to czeka.

Miałam plan, żeby zakończyć lekko i optymistycznie, ale, jak mawiał Tata, „jednak prawda jest, kurwa, najlepsza".

Podziękowania

Chciałabym podziękować rodzinie, przyjaciołom i wszystkim wspaniałym ludziom, którzy byli z nami, kiedy Janusz Głowacki pracował nad tą książką, i którzy wspierali mnie po jego śmierci, żebym mogła doprowadzić rzecz do końca. Dziękuję zwłaszcza:

Zuzie Głowackiej i Michałowi Mellerowi,
Jolancie Straszewskiej i Monice Banaś,
Staszkowi Karwowskiemu i Piotrowi Mitznerowi,
Marii Gąssowskiej i Agnieszce Wiercińskiej-Krużewskiej,
Jolancie Tobocie i Jackowi Wekslerowi,
Annie Woźniak-Starak i Waldemarowi Dąbrowskiemu,
Izabeli Połońskiej i Jurkowi Iwaszkiewiczowi,
Annie Miriam Kozłowskiej i Annie Axer-Fijałkowskiej,
Dominice Cieśli-Szymańskiej i Wiktorowi Jerofiejewowi.

Olena Leonenko-Głowacka

Nota o źródłach

Wiersze Aleksandra Wertyńskiego w przekładzie Oleny Leonenko-Głowackiej i Janusza Głowackiego.

Listy Aleksandra Wertyńskiego cyt. za Aleksandr Wiertinski, *Dorogoj dlinnoju* [Długą drogą], Moskwa 2004, s. 458–459 oraz z *Za kulisami*, Moskwa 1991, s. 264 (przekład Oleny Leonenko-Głowackiej).

Wiersz Mariny Cwietajewej ***(*Mogłabym – wzięłabym*) z cyklu *Wiersze dla sieroty* w przekładzie Piotra Mitznera.

Dwa cytaty z Dostojewskiego pochodzą z książki Ryszarda Przybylskiego *Dostojewski i „przeklęte problemy"*, Warszawa 1964.

Zacytowany na stronie 85 wiersz to zapamiętany z lat szkolnych fragment *Kommunery o czekiście Siemionowie* G. Lelewicza (właśc. Labori G. Kalmanson) – w tłumaczeniu niewiadomym.

Spis treści

Czyli mogłaby być dla
nich sprawiedliwość,
Nie ma dla nich
sprawiedliwości,

---

część miała natchnione
twarze a część była
jakaś

Kapitol